Pre

Preparati!

Guida pratica
per neopapà

Gary Greenberg e Jeannie Hayden

Traduzione di Matteo Sammartino

Titolo originale: *Be Prepared*

www.giunti.it

© 2011, 2018 Giunti Editore S.p.A.
via Bolognese 165 - 50139 Firenze - Italia
Piazza Virgilio 4 - 20123 Milano - Italia
Prima edizione: settembre 2011

MISTO
Carta da fonti gestite
in maniera responsabile
FSC® C021883

Stampato presso Grafica Veneta SpA, stabilimento di Trebaseleghe

Questo libro è dedicato ai nostri nonni:
William e Anna Barkin; Morris ed Esther Greenberg;
Margaret Hayden, Fran Hille; Daniel e Johanna White.
Il vostro calore, la vostra generosità e il vostro incrollabile
senso dell'umorismo ci hanno reso genitori
e persone migliori.

Sommario

INTRODUZIONE

Congratulazioni, e benvenuti nella confraternita dei padri.

Per migliaia di anni, giorno dopo giorno, i padri hanno esplorato la terra, cacciato, raccolto e scarpinato nei campi per provvedere nel miglior modo possibile al sostentamento della propria famiglia. Ma è solo nell'ultimo quarto di secolo che hanno deposto la lancia, per contribuire più attivamente alla crescita dei propri figli. Quindi, se le donne sembrano più portate a crescere i figli è solo perché godono di un largo vantaggio.

La verità è che tutti questi secoli di caccia hanno dotato gli uomini di strumenti perfetti per affrontare la paternità. Pazienza, astuzia, determinazione, capacità di gestire le emergenze sono competenze essenziali, sia per braccare la preda che per allevare un figlio. E proprio come un animale, un neonato è una creatura imprevedibile, quanto mai lunatica e capace di ululati terrificanti.

Ma queste abilità, da sole, non bastano a rendere un genitore perfetto. Il segreto sta nella preparazione, nel saper affrontare ogni tipo di SNCB (Situazione Normale: Casini col Bebè) che può presentarsi in un determinato giorno, nell'essere pronti a passare ai piani B e C quando fallisce il piano A. Un papà preparato può avventurarsi nel mondo con la testa alta e il bimbo legato sulla schiena, sicuro di essere pronto a tutto. Lo scopo di questo manuale è proprio quello di farvi acquisire maggiore sicurezza.

In queste pagine troverete le tecniche essenziali per crescere vostro figlio sano e felice e per permettere a voi e alla vostra partner di mantenere una certa stabilità mentale. Alcune cose vi sembreranno assurde, ma abbiate fiducia: le raccomandazioni contenute in questo libro sono frutto dello studio di esperti e sono state testate dai padri e garantite dai bambini. Il testo gode inoltre dell'approvazione di eminenti membri della American Academy of Pediatrics.

Come si intuisce dal titolo, *Preparati!* è essenzialmente un manuale pratico, non un libro strappalacrime sull'emozionante rapporto padre-figlio. E per quanto sappiamo che il primo anno da papà sarà una delle esperienze più coinvolgenti e stimolanti della vostra vita, sappiamo anche che avete un sacco di cose da imparare in pochissimo tempo. Quindi, concentriamoci sull'abbiccì, lasciando da parte i sentimentalismi.

Ora, prendete la borsa dei pannolini e datevi una mossa.

PRIMA SETTIMANA

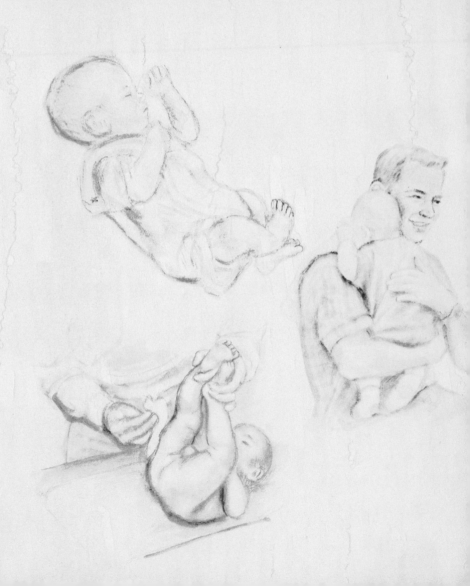

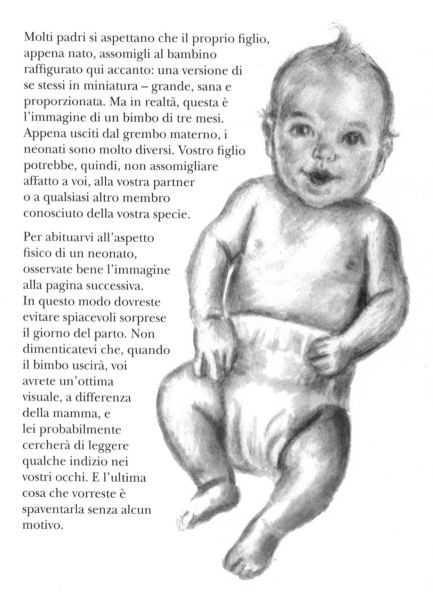

Molti padri si aspettano che il proprio figlio, appena nato, assomigli al bambino raffigurato qui accanto: una versione di se stessi in miniatura – grande, sana e proporzionata. Ma in realtà, questa è l'immagine di un bimbo di tre mesi. Appena usciti dal grembo materno, i neonati sono molto diversi. Vostro figlio potrebbe, quindi, non assomigliare affatto a voi, alla vostra partner o a qualsiasi altro membro conosciuto della vostra specie.

Per abituarvi all'aspetto fisico di un neonato, osservate bene l'immagine alla pagina successiva. In questo modo dovreste evitare spiacevoli sorprese il giorno del parto. Non dimenticatevi che, quando il bimbo uscirà, voi avrete un'ottima visuale, a differenza della mamma, e lei probabilmente cercherà di leggere qualche indizio nei vostri occhi. E l'ultima cosa che vorreste è spaventarla senza alcun motivo.

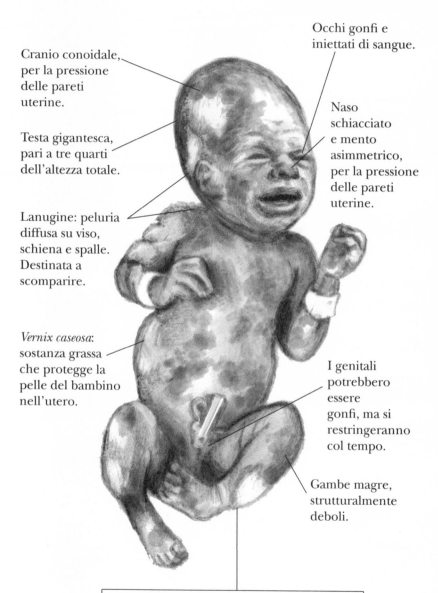

Occhi gonfi e iniettati di sangue.

Cranio conoidale, per la pressione delle pareti uterine.

Naso schiacciato e mento asimmetrico, per la pressione delle pareti uterine.

Testa gigantesca, pari a tre quarti dell'altezza totale.

Lanugine: peluria diffusa su viso, schiena e spalle. Destinata a scomparire.

Vernix caseosa: sostanza grassa che protegge la pelle del bambino nell'utero.

I genitali potrebbero essere gonfi, ma si restringeranno col tempo.

Gambe magre, strutturalmente deboli.

Foruncoli, macchie, voglie, lividi e arrossamenti sono disturbi cutanei ricorrenti e destinati a scomparire.

Qualche trucco per divertirsi con i NEONATI

RIFLESSO	confermato	da confermare
	✓	
Ricerca		
Moro		
Palmare		
Plantare		
Marcia		
Evitamento		

Ammettiamolo: quando trascorrete del tempo con un neonato, dovete trovare il modo di divertirvi anche voi. Un'ottima soluzione è testare personalmente i suoi riflessi. Questo vi aiuterà a comprendere meglio le sue capacità e vi farà imparare qualche simpatico giochetto da tirare fuori alla prossima riunione di famiglia.

Per quanto sembri inerte, un neonato nasce pre-programmato ed è dotato di una serie completa di riflessi che lo aiutano a cercare e a ottenere nutrimento, a evitare i pericoli e a liberarsi da brutte situazioni. Se solo potessimo insegnargli a cambiarsi il pannolino da solo...

Ecco alcuni dei riflessi più comuni e i modi migliori per testarli:

Riflesso di ricerca

Stimolo: strofinate la guancia del neonato.

Reazione: girerà la testa nella direzione da cui proviene il contatto.

Spiegazione: lo aiuta a trovare il seno o il biberon.

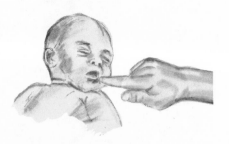

Riflesso di Moro

Stimolo: fategli provare la sensazione di cadere, oppure emettete un rumore forte e improvviso.

Reazione: allargherà braccia e gambe.

Spiegazione: lo aiuta a mantenere l'equilibrio e a segnalare il bisogno di aiuto.

Riflessi di prensione palmare (mano) e plantare (piede)

Stimolo: toccategli il palmo della mano e la pianta del piede.

Reazione: vi afferrerà il dito con la mano e arriccerà i piedi.

Spiegazione: lo aiuta a raggiungere gli oggetti e a prenderli in mano. Il riflesso plantare è un'eredità evolutiva dei tempi in cui dovevamo aggrapparci alla pelliccia delle madri.

I neonati hanno una presa talmente salda da potersi appendere a una sbarra, ma non provateci a casa.

Riflesso di marcia automatica

Stimolo: afferrate il bimbo sotto le ascelle, fatelo alzare (sostenendogli il capo con le dita) e mettetegli i piedi su una superficie piatta.

Reazione: solleverà prima una gamba e poi l'altra, come se simulasse una marcia.

Spiegazione: preannuncia l'istinto di camminare e lo aiuta ad allontanare gli oggetti con i piedi.

Riflesso di evitamento

Stimolo: mettete il neonato in posizione supina e avvicinategli un oggetto al volto.

Reazione: girerà la testa dall'altra parte, chiuderà gli occhi e cercherà di allontanarsi dall'oggetto.

Spiegazione: autodifesa (in vista delle partite a palla prigioniera).

Molti dei riflessi svaniscono dopo alcuni mesi, evolvendosi in un atto consapevole oppure scomparendo del tutto.

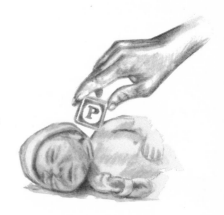

Posso prenderlo IN BRACCIO?

SIETE PREGATI DI LAVARVI LE MANI prima di toccare il neonato

Quando conosceranno vostro figlio, probabilmente amici e parenti si divideranno in queste due categorie: gli asfissianti e i disertori. I primi lo stordiranno di coccole, mentre i secondi svolazzeranno come un'ape verso l'angolo più remoto della casa.

Lasciare che amici intimi e parenti, se sono in salute, prendano in braccio vostro figlio è un'ottima idea. Guadagnerete qualche attimo di libertà e potrete valutare segretamente le potenziali attitudini da babysitter dei soggetti.

Inoltre, prendere in braccio un neonato è un rito di passaggio che vi legherà ancora di più ai vostri cari. Affidargli il vostro erede al trono è una dimostrazione di fiducia e loro non la dimenticheranno.

Ma ecco alcune cose da ricordare prima di prenderlo in braccio:

- chiunque prenda il piccolo in braccio deve prima essersi lavato le mani. Infezioni virali, come il raffreddore, si trasmettono tramite il contatto fisico. Quindi se qualcuno stringe la mano a una persona raffreddata e poi tocca vostro figlio, vi ritroverete in piedi alle tre del mattino a cercare di decongestionargli le vie respiratorie;

- è importante essere rilassati. Come gli animali, anche i bambini percepiscono istintivamente il nervosismo: più la persona sarà tranquilla, più il piccolo si sentirà a suo agio;

- se vi trovate in una posizione scomoda, sedetevi, incrociate le braccia sul grembo (vedi sotto) e fatevi posare delicatamente il piccolo nell'incavo delle braccia. Non dimenticatevi di sorreggergli la testa. Questa è una posizione particolarmente raccomandata per i neonati.

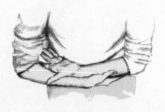

DIVIETO DI ACCESSO

Tra quelli che vi chiederanno di prendere in braccio vostro figlio, ci sarà sempre qualcuno di cui, per una ragione o per l'altra, non vi fidate. Magari per il suo sguardo strano, o per l'alito che puzza di alcol o perché indossa in maglione in acrilico. Questa è una di quelle situazioni in cui è consigliabile seguire il proprio istinto e giocarsi una delle scuse indicate qui sotto:

"Il pediatra ha detto che questa eruzione cutanea è molto contagiosa".

"Il bimbo è allergico a deodorante/detergente/lacca".

"È molto nervoso perché l'hanno appena vaccinato".

"Ha paura delle persone con barba/occhiali/orecchino al naso/capelli ricci".

"Ha la diarrea a spruzzo e non vorrei doverti pagare il conto della tintoria".

SEI TU il responsabile audio-visivo

In quanto padri, siete tenuti ad avere
una conoscenza innata delle apparecchiature elettroniche.
Che siate un fanatico adepto della tecnologia o un tecnofobico
convinto, probabilmente spetterà a voi documentare il primo
anno di vita del bambino.

MACCHINA FOTOGRAFICA DIGITALE

Non vi siete ancora muniti di una macchina fotografica digitale? Che state aspettando? I prezzi sono in calo e la qualità migliora di continuo. E per un padre pieno di impegni come voi, portare i rullini a sviluppare e passare a ritirarli ruberebbe del tempo prezioso al riposo.

La cosa migliore è scaricare le fotografie sul computer. Puoi tagliare e ridimensionare le immagini, modificarne i colori e poi stampare solo le foto che preferisci. E poi non c'è modo migliore per torturare amici e parenti riempiendoli di mail con le foto del piccolo in allegato.

Comprate una macchina fotografica ad alta risoluzione, ma abbastanza compatta da essere portata ovunque. Acquistate anche una scheda di memoria (un rullino riutilizzabile, per così dire) che contenga almeno 50 immagini in alta definizione. Visto che i bimbi sono per natura poco collaborativi – i loro gorgoglii sono un modo per dire "niente paparazzi!" – per ottenere una foto decente potranno servire anche dieci scatti.

Vi raccomandiamo caldamente di acquistare e testare le varie funzioni della macchina fotografica almeno un mese prima del parto: non vorrete mica armeggiare disperatamente con lo sportellino della batteria mentre vostro figlio viene alla luce?

Tre dritte per scattare delle belle foto

Variate, variate, variate. Non importa quanto lo troviate bello – resta il fatto che nessuno muore dalla voglia di vedere venti immagini di un lattante steso su una coperta. Per rendere piacevole la visione, dovrete fare delle foto più interessanti. Mettetegli un costume da carnevale, fatelo tenere in braccio a un familiare che imiti la sua espressione, circondatelo di nani da giardino o soldatini, piazzatelo su un vassoio da cucina –, tutto, pur di vivacizzare le foto.

Scattate sempre alla massima risoluzione. Non potete sapere quale immagine userete per il biglietto di Natale, pertanto meglio non rischiare che la foto perfetta sia venuta sgranata.

Usate l'autoscatto. Tra vent'anni, cercherete una testimonianza della vostra folta chioma giovanile da mostare a vostro figlio. Mettete la macchina su un treppiede o su un qualsiasi altro sostegno, come un passeggino, e fatevi qualche foto con vostro figlio. Il fatto che siate il fotografo ufficiale di casa non implica che non dobbiate mai comparire nelle foto. (In poche parole, dovrete insegnare anche alla mamma come si usa la nuova macchina fotografica.)

VIDEOCAMERA

Il video è il mezzo migliore per immortalare i progressi del vostro teppistello. Ogni video girato sarà una macchina del tempo capace di farvi rivivere le diverse fasi dei suoi progressi fisici, emotivi e verbali.

Se non avete una videocamera, potreste decidere di comprarne una. Un apparecchio digitale garantisce immagini e audio migliori, permette di trasferire i video senza perdere di qualità e, soprattutto, di scaricarli sul computer per cancellare le parti più noiose prima di mostrarli ad altri. Sappiate che il maschio medio ha una capacità di tolleranza ai filmati con bambini non superiore ai cinque minuti, quindi tagliate più che potete.

Due caratteristiche fondamentali da valutare sono le dimensioni e la durabilità dell'apparecchio. Accertatevi di poter reggere tranquillamente la videocamera con una mano sola e di poter facilmente azionare i tasti di registrazione e lo zoom. Quanto alla durabilità, fatevi dire da un negozio che ripara apparecchi elettronici quali sono le videocamere che non vedono mai. È possibile che la videocamera vi possa cadere dalle mani, per cui cercatene una che non si distrugga al primo impatto.

Tutti i vostri amici saranno rapiti dal vostro nuovo bambino.

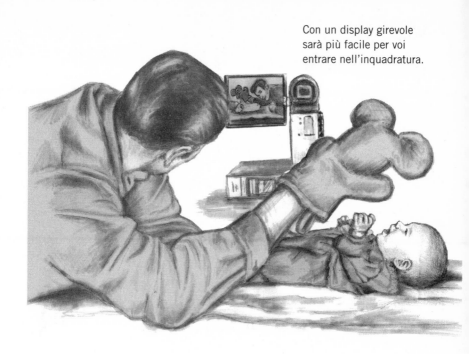

Con un display girevole
sarà più facile per voi
entrare nell'inquadratura.

Dritte per girare dei bei video

Non riservate le riprese solo a compleanni e vacanze. Spesso i momenti di vita quotidiana sono i più interessanti. È più divertente guardare un bimbo che abbatte una torre di mattoncini che non il suo battesimo.

Entrate in scena. Appoggiate la videocamera, ruotate lo schermo di 180 gradi e cominciate a registrare. Così sarà più facile capire esattamente quello che viene ripreso e di quanto potete muovervi prima di uscire dall'inquadratura.

Tenete a portata di mano una batteria di scorta. Dato che i display LCD succhiano parecchia energia, se tenete a portata di mano una batteria già carica non rischierete di dover interrompere le riprese.

Sdraiatevi e sporcatevi. Riprendere un neonato dalla vostra altezza è davvero mortificante per lui. Lo fa sembrare più basso, piccolo e tozzo di quanto non sia in realtà. Inoltre, produce un'immagine distorta del suo volto. Per avere un risultato migliore, sdraiatevi a pancia in giù e filmate ad altezza occhi.

15

La vostra partner
non si sente IN FORMA?

Il corpo della vostra partner ha subito l'equivalente biologico di uno scontro ferroviario. Forse passerà le prime settimane dopo il parto accasciata sul divano, sul letto o sul pavimento. Ovunque possa trovare un po' di sollievo, insomma. Magari smetterà di pettinarsi e di lavarsi i

Sudorazione eccessiva
Vertigini
Inappetenza
Acne

Vampate di calore
Perdita di capelli
Rottura dei capillari oculari per eccessivo sforzo durante il parto

Dolore al seno
Ingorgo mammario
Ragadi del capezzolo (se allatta)

Crampi all'addome
Intorpidimento alle mani
Formicolio alle mani

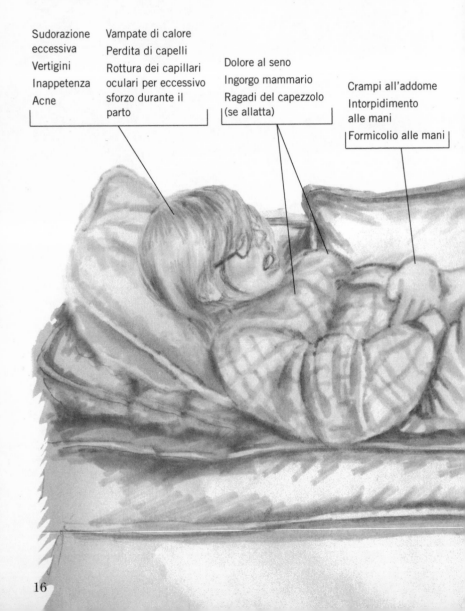

denti, terrà gli stessi vestiti per giorni e giorni e indosserà solo le vostre tute slargate.

Niente paura, però. Se tutto va per il verso giusto, si sbarazzerà delle vostre tute e ricomicerà a curare l'igiene personale nell'arco di tre settimane.

Sotto, un elenco dei disturbi più comuni provocati dal parto.

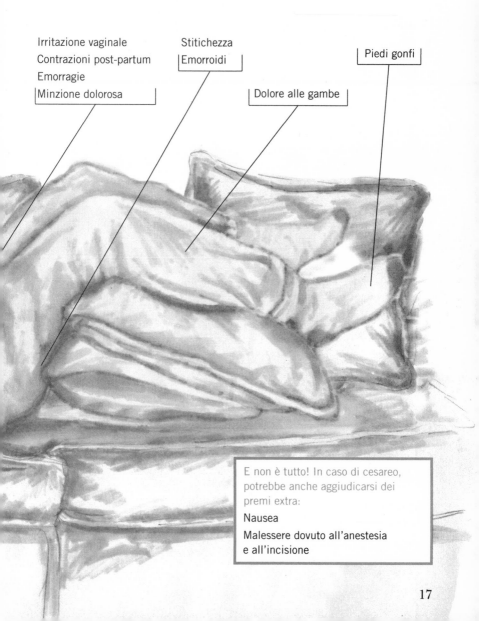

Irritazione vaginale
Contrazioni post-partum
Emorragie
Minzione dolorosa

Stitichezza
Emorroidi

Piedi gonfi

Dolore alle gambe

E non è tutto! In caso di cesareo, potrebbe anche aggiudicarsi dei premi extra:
Nausea
Malessere dovuto all'anestesia e all'incisione

17

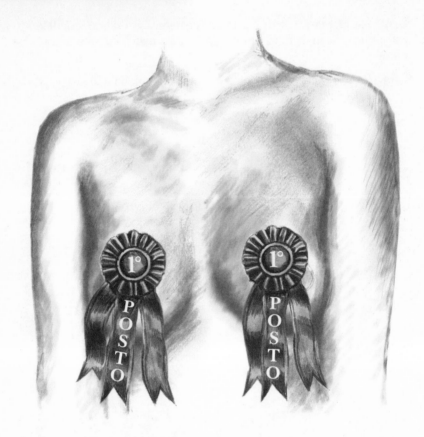

Meglio l'allattamento al seno o il latte artificiale?
Per chiarire questo antico contenzioso, affidiamoci a una sfida testa
a testa senza esclusione di colpi, esaminando uno per uno tutti
gli aspetti della questione.

Valore nutrizionale
Vincitore: **latte materno**

Dal punto di vista nutrizionale, il latte materno non ha eguali.
Non solo contiene anticorpi e vari enzimi utili contro malattie
e allergie, ma si adegua perfettamente alle mutevoli esigenze nutritive
del bimbo durante la crescita.

Comodità
Vincitore: **latte materno**

Il latte materno è il fast food per eccellenza. Preconfezionato,
preriscaldato e, quel che più conta, nessuno può sbagliare
l'ordinazione.

Costi
Vincitore (per KO): **latte materno**
A meno che la vostra compagna non si faccia pagare per ogni litro erogato, il latte materno vince facile. Senza contare che i neonati allattati al seno rigurgitano meno, il che ridurrà il conto della lavanderia.

Odore
Vincitore: **latte materno**
I pannolini dei bambini allattati al seno non hanno odore, probabilmente per un adattamento biologico volto a non attirare i predatori. Se doveste ritrovarvi vicino a un branco di sciacalli, optate senza indugi per l'allattamento al seno.

Ripresa post-partum
Vincitore: **latte materno**
Allattare aiuta l'utero a contrarsi per tornare alla dimensione originale (spiacenti per avervi costretto a leggere questa frase) e la madre a liberarsi dei chili in eccesso accumulati durante la gravidanza (non siete contenti che vi abbiamo lasciato questa chicca alla fine, però?).

Livello di stress materno
Vincitore: **latte artificiale**
Le mamme che allattano hanno molte più preoccupazioni – il disagio causato dalla suzione e dalla produzione di latte, la stanchezza per essere strappate al sonno ogni due ore, il dubbio costante che il piccolo non mangi a sufficienza. L'allattamento è molto faticoso e impegnativo, quindi la vostra partner avrà bisogno di voi.

Risultato:
Seno batte Biberon 5 a 1.

Conclusione: se la madre può farlo, l'allattamento al seno è probabilmente la scelta migliore. In caso contrario, non preoccupatevi: quasi tutti i bambini nati tra gli anni cinquanta e settanta sono stati allattati artificialmente, e oggi sono loro a governare il mondo! Beh, allora ripensandoci bene è meglio che facciate di tutto per allattarli al seno.

19

Dite addio al SENO

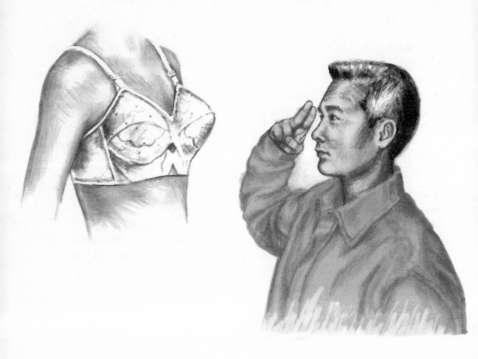

Da quando la vostra compagna comincerà ad allattare, per voi il seno sarà off limits. Il diritto di proprietà passerà temporaneamente a vostro figlio. Forse a un certo punto potrà esservi proposta una multiproprietà, ma nell'attesa dovrete farvene una ragione e ignorare quella coppia di mammelle che vi sfila davanti agli occhi giorno e notte. E, ironia della sorte, proprio nel momento in cui vi sarà negato, il seno della vostra partner sarà più grosso e più sodo di quanto non lo sia mai stato prima (e mai lo sarà).

Vedere allattare la partner può suscitare un duplice sentimento di gelosia: nei confronti del bambino, che ha pieno e incondizionato accesso al corpo della madre, e verso la partner che è capace di calmare e nutrire vostro figlio semplicemente porgendo il seno, mentre voi dovrete fare i salti mortali per farlo smettere di piangere.

Ma solo perché il vostro corpo non produce latte, non significa che la questione allattamento non vi riguardi. Ricerche hanno dimostrato che l'aiuto e la collaborazione del padre sono essenziali per determinare i tempi e l'efficacia dell'allattamento.

Preparatevi a collaborare per:

- sterilizzare e rimontare il tiralatte;

- preparare impacchi caldi in caso di ingorgo mammario;

- presidiare le poppate notturne, in modo che la vostra partner possa rimanere a letto semiaddormentata.

Per dare una mano nelle operazioni notturne, avvicinate il bimbo al seno, aiutatelo ad attaccarsi, trasferitelo da una mammella all'altra, fategli fare il ruttino, cambiatelo e rimettetelo a nanna. La vostra partner apprezzerà il vostro aiuto e sarà più propensa a concedervi quella multiproprietà di cui parlavamo prima.

E dopo il primo mese, potreste – anzi, dovreste – dare al bimbo il suo primo biberon. Si tratta di un'esperienza profondamente gratificante, seguita da un momento di grande ilarità: il suo primo ruttino da biberon, in genere più pieno e sonoro (per l'aria ingurgitata) di quelli post-poppata.

Voi, il guardiano notturno.

La gioia del RUTTINO

Far fare il ruttino al bambino è un compito perfetto per un padre perché, a differenza di quasi tutte le prime cure prestate al neonato, è un'attività con un obiettivo ben definito. Dopo una serie di apposite manovre otterrete, il più delle volte, un risultato finale. E quando udirete quel rombo magico, non potrete fare a meno di pensare: "È proprio mio figlio".

Esistono tre metodi per far ruttare il bambino, ognuno ideato perché il piccolo rigurgiti su una parte diversa dei vostri vestiti. Ecco perché vi servirà un panno, o addirittura un telone in certi casi. Se indossate degli abiti decenti, vi conviene coprirvi il più possibile.

Tecnica A

Tenete un braccio sotto il sederino del bambino e appoggiategli la testa sulla vostra spalla. Con l'altro braccio massaggiategli delicatamente la schiena con delle lievi pacchette.

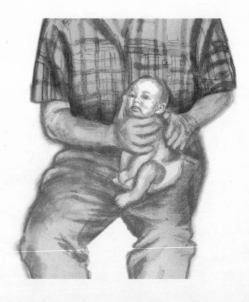

Tecnica B

Mettetevi il bimbo sulle ginocchia, rivolto verso l'esterno. Chinatelo leggermente in avanti, poggiategli una mano su petto e mento e con l'altra sollecitate il ruttino. Ricordatevi di reggergli bene la testa.

Tecnica C

Mettetevelo sulle ginocchia
a pancia in giù, con la testa
su un ginocchio e lo stomaco
sull'altro. Tenetegli una mano
sul sederino e con l'altra
picchiettategli la schiena.

Quando vostro figlio riuscirà
a tenere su la testa da solo,
potrete usare anche questo
metodo che scatenerà
un'autentica e prolungata
tempesta gassosa. Mettetevi
il bimbo sulle ginocchia
rivolto verso l'esterno,
sorreggetelo sotto le ascelle
e fatelo ruotare in modo
da disegnare un cerchio.
Questo movimento fa sì
che le bolle d'aria risalgano
in superficie, riducendo
la tendenza a rigurgitare.
State attenti a non inclinarlo
troppo.

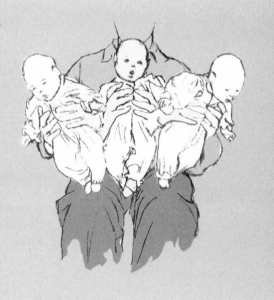

Quando un neonato mangia, è consigliabile farlo ruttare due volte: a
metà e a fine pasto. Il ruttino a metà lo aiuterà a liberare spazio per la
successiva razione.

Tecniche base per CAMBIARLO

Visto che il prossimo anno vi toccherà cambiare oltre 2500 pannolini, vale proprio la pena di imparare qualche tecnica efficace. Operazioni maldestre possono causare irritazioni cutanee o fuoriuscite, con conseguenti macchie su vestiti e qualsiasi cosa sia a portata di mano.

Per sicurezza, mettete sempre un pannolino pulito sotto quello sporco.

Tenete l'indice tra le sue caviglie, perché non sfreghino l'una sull'altra.

Accertatevi che il pannolino non sia troppo stretto.

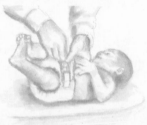

Vi serviranno:

un pannolino nuovo;
salviettine umidificate e un asciugamano;
un fasciatoio (o comunque una superficie liscia, piana e pulita) su cui collocare il bimbo.

Procedura:

1. tenendolo per le caviglie (pollice intorno alla prima caviglia, indice in mezzo alle due e le altre dita intorno alla seconda caviglia) sollevategli in alto le gambe;
2. mettete un pannolino nuovo sotto al vecchio, nel caso il bimbo decida di liberarsi a metà operazione;
3. aprite il pannolino sporco e richiudetelo con le sue fascette adesive, in modo che non si incolli alla pelle del bimbo;
4. sempre tenendolo per le caviglie, sfilate il pannolino vecchio, liberando così il nuovo sottostante. Pulite accuratamente con le salviettine. Maschi: pulire lo scroto con una spugna per togliere l'eventuale sporco. Femmine: pulire partendo dal retto, per prevenire il rischio di infezioni vaginali;
5. chiudete il pannolino grazie alle fascette adesive laterali. Se tra la pelle del bimbo e il pannolino non passano due dita, significa che lo avete stretto troppo.

Non lasciate mai il bambino incustodito sul fasciatoio.

CANI

Il vostro cane vede il mondo in modo un po' diverso da voi. Per lui, voi siete il maschio alfa, la vostra donna è la femmina alfa e voi tre insieme formate un branco. All'arrivo del bebè, il vostro cane potrebbe anche accusare qualche settimana di depressione post-partum. Se tutto va per il meglio, però, ben presto il neonato sarà riconosciuto come cucciolo alfa, titolare di tutti i diritti associativi (protezione, fedeltà, e innumerevoli leccate sul viso).

In vista del nuovo arrivo

I cani apprendono per associazione. Dovrete fare in modo che il vostro cane non associ al neonato cose negative come ricevere meno attenzioni, essere buttati fuori dalla stanza o non trovare più la ciotola perché è stata spostata. Se intendete apportare dei cambiamenti, è importante che li facciate almeno un mese prima della nascita del bimbo.

- Fate sentire al cane la registrazione di un neonato che piange, così da abituarlo a quel rumore forte e acuto. I cani hanno un udito finissimo, e all'inizio potrebbero spaventarsi, ma dopo un po' si abituano. Tra l'altro, cominciare a familiarizzare con quel suono servirà pure a voi. Su www.beprepared.net potete scaricare il file audio di una crisi di pianto.

- Alcuni esperti suggeriscono, prima dell'arrivo del bimbo, di anticipare al cane la nuova struttura familiare usando una bambola e fingendo di cambiarla, nutrirla, cantarle canzoncine, metterla a nanna. Ma forse la soluzione più semplice, e meno umiliante, è invitare a casa di tanto in tanto amici con figli piccoli.

- Accertatevi che il cane capisca i comandi "Giù!", "Seduto!", "Basta!" e in caso contrario addestratelo. Portatelo inoltre dal veterinario per verificare che le vaccinazioni siano ancora valide e che non abbia parassiti. Trovate infine qualcuno che se ne occupi quando voi sarete in ospedale a impartire alla vostra partner il comando "Respira!".

Post-partum

- Dopo il parto, prendete un capo che sia stato indossato dal bimbo e datelo al cane, in modo che impari a riconoscerne l'odore.

- Al ritorno dall'ospedale, tenete voi il bambino mentre la vostra compagna varca la soglia di casa – essendo mancata per un po', il cane sarà euforico, le salterà addosso e le farà grandi feste. Quando la situazione si è calmata, mettete il guinzaglio al cane e fategli osservare per un po' il bambino a distanza di mezzo metro. Quindi avvicinateli lentamente l'uno all'altro. Se il cane rimane calmo, lasciategli annusare il bimbo.

- Per i primi mesi, evitate che il cane lecchi la faccia del piccolo. Il suo sistema immunitario è ancora poco sviluppato e il cane è capace di infilare la lingua nei posti più sudici e impensabili.

- Neanche il più docile dei cani va lasciato da solo con un neonato. Siate sempre pronti a rimproverare l'animale per un comportamento aggressivo e a premiarlo se si è comportato bene.

Se andrà tutto bene, il cane
e il bambino diventeranno
inseparabili.

Una zanzariera potrebbe trasformare la culla di vostro figlio in un improvvisato letto a castello.

GATTI

Quasi tutti i suggerimenti che vi abbiamo dato per i cani valgono anche per i gatti, con la differenza che i gatti vi daranno meno retta. Sono attirati istintivamente dagli oggetti in movimento e normalmente si disinteressano dei neonati. Non lasciate mai da soli un neonato e un gatto nella stessa stanza.

I gatti amano acciambellarsi accanto a un corpo caldo e potrebbero infilarsi nel lettino di vostro figlio. Sappiate che è una pessima idea perché il gatto potrebbe inavvertitamente graffiare, mordere, o addirittura soffocare il bimbo. Esistono due modi per tenere il gatto lontano dal lettino:

- dopo aver sistemato il lettino nella stanza (qualche mese prima del parto), poggiate sul materasso qualche oggetto il cui contatto sia davvero fastidioso per un gatto. Potreste ritagliare un pezzo di cartone e ricoprirlo di nastro biadesivo, così quando il gatto salirà sul lettino si ritroverà con i polpastrelli incollati; oppure ricoprite il materasso di carta stagnola (i gatti odiano il rumore che fa). Dopo un paio di spiacevoli esperienze, il gatto dovrebbe rinunciare a ogni mira sul lettino;

- coprite il letto con una zanzariera in modo da impedirgli l'accesso. Il gatto potrebbe appollaiarsi in cima alla zanzariera, diventando parte dell'arredamento.

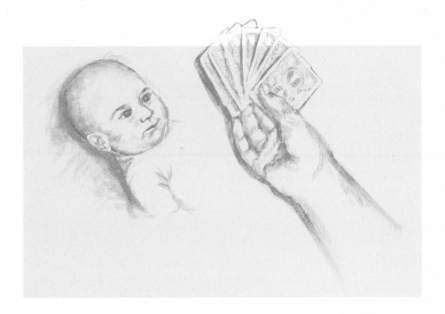

Il modo migliore – anzi l'unico – per intrattenere un neonato è attraverso i giochi di stimolo e reazione: mostrategli degli oggetti o sottoponetelo a delle sensazioni, e aspettate di vedere la sua reazione. E se vi fissa con occhi sbarrati, ritenetevi soddisfatti.

I giochi che seguono aiutano a sviluppare i cinque sensi:

Vista

Gli occhi dei neonati distinguono bene gli oggetti a 25-30 cm dal volto, ma non riconoscono i colori.

Fiori e picche

Togliete i fiori e i picche da un mazzo di carte, facendoli vedere al bimbo, e riuniteli in un nuovo mazzetto. Apritelo lentamente davanti ai suoi occhi, poi richiudetelo e riapritelo di nuovo. Infine, mostrategli una scala reale per controllare la sua faccia da bluff.

Udito

I neonati hanno un udito pienamente sviluppato e sembrano preferire i suoni acuti a quelli gravi, il che spiega perché ci rivolgiamo a loro facendo le vocine.

Fonte sonora

Tenendo il bimbo su un fianco, spiegazzate un sacchetto, scuotete un barattolo di noci o fate tintinnare un mazzo di chiavi, fino a quando il neonato non muoverà la testa in direzione del suono. Quindi fate la stessa cosa dall'altro lato.

Tatto

Il tatto è il primo senso che inizia a svilupparsi nell'utero, e al momento del parto è già pienamente sviluppato. Alcune parti del corpo sono più sensibili di altre; le più ricettive, in particolare, sono il palmo della mano, la pianta del piede e il contorno della bocca.

Stimolazione con materiali diversi

Massaggiatelo delicatamente in vari punti del corpo con oggetti di consistenza diversa, come una spugna, una cravatta di seta o l'imbottitura di pelliccia di un guanto; potete anche provare a soffiargli addosso dell'aria con una pompa da bici.

Olfatto

I neonati hanno un olfatto finissimo e fin dai primi giorni di vita mostrano una netta predilezione per il profumo del latte materno.

Cosa c'è in frigo?

Prendete dal frigo qualche alimento dall'odore forte – formaggio, cipolle, sottaceti, pesce – e metteteglielo sotto il naso. Attendete una sua reazione. Se sospettate che lo yogurt sia andato a male, forse la sua espressione vi darà una risposta.

Gusto

Vostro figlio ha iniziato a sviluppare il senso del gusto già all'interno dell'utero. Ora mostra una netta preferenza per il dolce rispetto all'amaro, ma visto che per i primi sei mesi circa i bimbi non possono mangiare altro che latte, materno o artificiale, dovrete sopprimere il vostro istinto di fargli succhiare uno spicchio di limone.

TEST DI RICONOSCIMENTO FACCIALE

Mostrategli i tre volti riprodotti qui sotto. Il bimbo tenderà a soffermarsi su quello riconoscibile. Questo interesse per i volti è genetico e contribuisce a costruire il legame con i genitori. Se vostro figlio dovesse preferire una delle altre facce, beh, potreste avere per le mani un Picasso in erba.

31

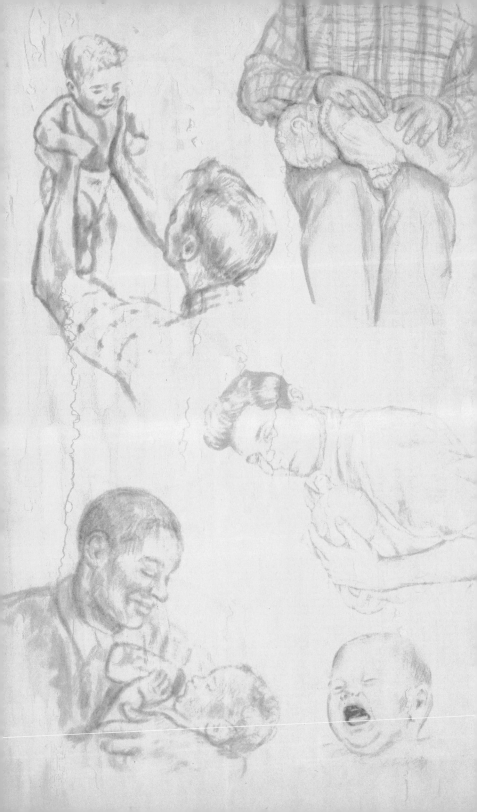

0-3 MESI

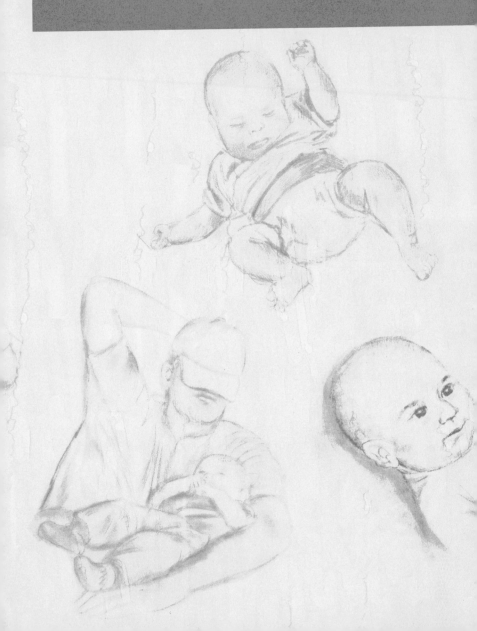

La crisi del PRIMO MESE

La paternità può investirvi come un cazzotto in piena faccia. Per un paio di settimane, dopo l'arrivo del bimbo, sarete inondati di attenzioni, regali e cibo e poi spariranno tutti. D'un tratto, avrete la sensazione opprimente che niente sarà più come prima, come se vi avessero strappato di dosso la vostra vecchia vita, sostituendola con un lungo e frustrante servizio civile.

Per la prima quindicina di giorni dopo il parto, potreste sentirvi ansiosi, depressi, soli. E che c'è di strano? Siete alla mercé di un piccolo dittatore instancabile, e la situazione non sembra destinata a migliorare. Ma mentre vi crogiolate nella disperazione, ricordatevi sempre che non siete i soli. I padri di tutto il mondo, da Copenaghen a Città del Capo, siano essi imprenditori o manovali, sono passati da questo calvario.

Per la maggior parte dei padri, questa fase dura 2-3 mesi, dopodiché scatta il desiderio di ricavare il meglio da questa esperienza. A spazzare via i dubbi che vi annebbiano la mente, concorrono diversi fattori. Per esempio:

- il piccolo dorme più ore di seguito;

- vi sentite più pronti e capaci di intervenire se il bimbo ha un problema;

- finalmente vostro figlio vi sorride.

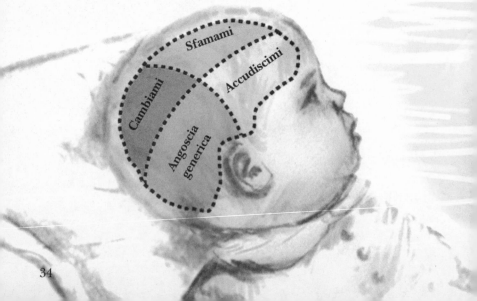

Se questo periodo si protrae oltre i tre mesi, o se vi sentite irrimediabilmente impotenti o soli, parlatene con la vostra compagna e gli amici, e considerate l'ipotesi di consultare un professionista.

Mamme e SBALZI d'umore

150

125

100

75

50

Attenti, papà! Se la vostra partner vi sembrava intrattabile nel periodo pre-mestruale, preparatevi agli effetti degli SUPP (Sbalzi d'Umore Post-Partum). Questa condizione, che colpisce tre mamme su quattro, viene genericamente denominata "malinconia post-partum" – anche se la parola malinconia non rende del tutto l'idea.

In parole povere, la vostra partner sarà completamente sfasata e del tutto imprevedibile. Strillerà perché avete messo male il pannolino, e un minuto dopo vi accuserà di non darle una mano; vi spedirà in cantina, e poi vi accuserà di non starle vicino. Consideratelo un prezzo da pagare per non aver subito le pene del parto.

Ricordatevi che certe reazioni sono assolutamente indipendenti dalla sua volontà. Subito dopo il parto, gli ormoni sono come impazziti e creano scompiglio nella sua testa.

Motivo per cui vi consigliamo, quando la vedrete scaraventare il tiralatte contro il muro del soggiorno, di girare alla larga.

La durata degli SUPP può variare da un paio di giorni a poco più di un mese. Può essere un'esperienza molto dura, soprattutto per un papà che è alle prese con la sua prima esperienza da genitore. Ma visto che una camera all'Hilton non è un'opzione praticabile, stringete i denti e fate del vostro meglio per superare questo difficile momento.

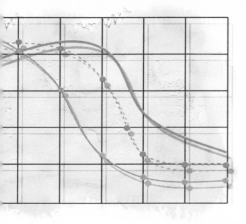

Queste quattro strategie renderanno le cose più semplici per entrambi:

Strategia n. 1: Orecchie aperte, bocca chiusa

Gli uomini sono più pragmatici: se c'è un problema, ci sarà anche una soluzione. Certo, non fa una piega, ma in questo caso è controproducente. La vostra compagna ha bisogno di affetto e non di uno schema per risolvere la questione.

Strategia n. 2: Togliere dal verbale

Pensate a tutte le cose terribili che vi è capitato di dire dopo quattro o cinque birre. Bene: ora ricordatevi che la vostra partner subisce un bombardamento ormonale che ha degli effetti molto più devastanti di quelli della Budweiser. Tra sei mesi, potrebbe anche aver dimenticato gli epiteti di cui vi ha omaggiato. (Vi conviene scriverli, non si sa mai.)

Strategia n. 3: Un combattente solitario

Nelle prime settimane non è detto che la vostra partner possa darvi una mano. Potreste dover fare tutto voi, allattamento al seno escluso, quindi preparatevi a sobbarcarvi questo peso. Chiedete aiuto ai parenti e non risparmiate sul cibo da asporto.

Strategia n. 4: Portatela fuori

L'isolamento è una delle principali cause degli SUPP, quindi cambiare ambiente può aiutarla a rilassarsi. Visto che i neonati sono facilmente trasportabili – non lo dimenticate mai – prendete mamma, bimbo e passeggino e fatevi una passeggiata nei dintorni. L'attività fisica la aiuterà a tornare in forma, rilasciando inoltre endorfine utili a migliorare l'umore.

Depressione post-partum

Questa sindrome, assai peggiore degli SUPP, colpisce circa una mamma su dieci. Se il suo stato emotivo influisce negativamente sulle sue normali capacità d'azione, o se i sintomi di malessere persistono oltre un mese, invitatela a parlarne con l'ostetrica di fiducia. Se dovesse mostrarsi riluttante, ricordatele che si tratta di una sindrome facilmente curabile e che una volta guarita potrà finalmente godersi il piccolo.

Strofinatelo bene

Fare il bagnetto a un neonato è un'operazione che esige mano ferma e nervi d'acciaio, la sfida ideale per un papà.

Se si pensa che passano il giorno a poltrire, è sorprendente quanto siano sporchi i lattanti. Se non viene lavato per troppo tempo, il buon profumo di bebè può rapidamente trasformarsi in puzza di latte cagliato. Lavatelo tutti i giorni, o tutte le volte che vi sembra necessario, ma se la pelle dà segni di disidratazione riducete i bagnetti.

Non fategli il bagnetto finché non è caduto il cordone ombelicale e, se è un maschietto, fino a quando l'eventuale circoncisione non si è cicatrizzata. Prima di allora, lavatelo semplicemente con una spugna bagnata.

Per il bagnetto servono:

❏ Una vasca da neonato o un'altra tinozza idonea

❏ Un secchio di plastica grande

❏ Una tazza di plastica

❏ Sapone e shampoo per neonati

❏ Due o tre salviette da bagno

❏ Un asciugamano asciutto vicino alla vasca, per avvolgere il bimbo appena ha finito il bagnetto

Dove fargli il bagnetto

Quando decidete di fare il bagno a vostro figlio, considerate bene la sicurezza, la comodità di entrambi e la vicinanza al rubinetto.

Vasca nel lavandino

Molte vaschette da neonato entrano perfettamente nel lavandino e restano ben salde. Inoltre, con il bimbo a quell'altezza è più facile pulirlo e raggiungere il rubinetto. Assicuratevi però che il getto d'acqua non sia mai rivolto direttamente al neonato.

Vasca sul pavimento

Talvolta i genitori più apprensivi mettono la vasca sul pavimento, almeno finché hanno qualche timore di far cadere il bambino. Mettete qualche sacchetto della spazzatura sotto e intorno alla vasca e appoggiate le ginocchia su un cuscino.

Vaschetta da neonato dentro la vasca da bagno

È un po' più faticoso per la vostra schiena, ma almeno il piccolo è a livello del pavimento ed eviterete di fare un lago per terra.

Con voi nella vasca da bagno

Alcuni bimbi trovano la vaschetta claustrofobica e preferirebbero la vostra compagnia. Potrete fare il bagno con lui, ma questo non è consigliabile fino a quando non vi sentirete a vostro agio con le procedure di lavaggio.

Procedure di lavaggio

1. Versate dell'acqua calda nella vaschetta e nel secchio. L'acqua deve essere più che tiepida, ma non bollente. Provatela con il gomito: se è troppo calda per voi, certamente lo sarà per lui. Basta che l'acqua sia profonda una decina di centimetri.

2. Spogliatelo e mettetelo in vasca. Per evitare che pianga per il freddo, posategli una salvietta sulle spalle e versategli addosso dell'acqua calda dal secchio – sorreggendolo sempre con una mano.

3. Con una salvietta pulita, detergetegli gli occhi partendo dalla sommità del naso verso l'esterno. Poi passate la salvietta sul resto del viso, sulla parte esterna delle orecchie e sul collo. Le pieghe sul collo sono delle autentiche voragini, che offrono rifugio a sporcizia, lanugine, resti di latte rancido e magari a qualche frammento di vestito. Se non vengono pulite regolarmente, possono infettarsi.

4. Passate la salvietta anche su braccia, gambe e torace. Le ascelle, l'ombelico e il dietro delle ginocchia sono il rifugio perfetto per lo sporco. Usate il sapone un paio di volte a settimana e le altre volte solo acqua, a parte nell'area del pannolino che è sempre da insaponare. Risciacquate il bimbo usando l'acqua del secchio e aiutandovi con la tazza.

5. Lavategli i capelli. Siccome i neonati disperdono gran parte del calore dalla testa, fatelo solo alla fine. Usate un paio di cucchiaini di shampoo tre o quattro volte la settimana.

6. Avvolgete il bimbo nell'asciugamano e massaggiatelo ben bene.

Su www.beprepared.net troverete una versione stampabile, in inglese, delle procedure di lavaggio. Appendetela nella zona bagnetto in modo da averla a portata di mano per qualsiasi dubbio.

Attenti allo shampoo negli occhi

Per evitare che dello shampoo finisca negli occhi del vostro bambino, usate uno dei seguenti metodi:

- Copritegli gli occhi con una salvietta asciutta e versategli dolcemente sulla testa l'acqua del secchio.

- Avvolgete il bambino (vedi pag. 51) in un asciugamano in modo che spunti fuori solo la testa. Tenetelo adagiato con la schiena sul vostro avambraccio e le gambe rivolte verso il gomito, reggendogli collo e testa con la mano. È la cosiddetta "presa da football americano". Inclinategli un po' la testa in modo che quando lo risciacquate, l'acqua finisca nella vasca e non sugli occhi.

Per risciacquargli i capelli, tenetelo come fosse un pallone da football.

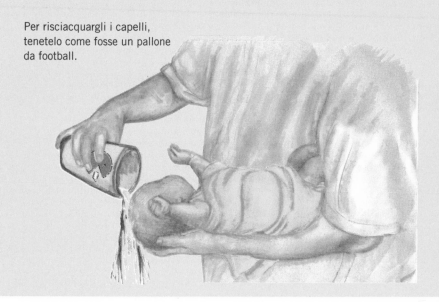

Crosta lattea

Durante lo shampoo, potreste notare sulla testa del bimbo ampie zone squamose. Si tratta della crosta lattea, una condizione molto comune nei neonati che non sembra dar loro alcun fastidio e che scompare in genere dopo tre mesi. Per rimuovere le squame, potete massaggiare il cuoio capelluto con olio minerale o vasellina, prestando particolare attenzione alla fontanella (punto più morbido sulla sommità del cranio). Altrimenti potrete usare uno spazzolino da denti con setole morbide. Nei luoghi chiusi, togliete al bimbo eventuali copricapo, perché il sudore potrebbe peggiorare la situazione.

41

I BAMBINI SONO SCIVOLOSI

Guanto-calzino

Usando un calzino
pulito di cotone, avrete
una presa più sicura che
non a mano nuda. Fate
un buco per il pollice
per mantenere una certa
sensibilità.

Presa ascellare

Usate questa tecnica
quando il bimbo rischia
di scivolare nella vasca.
Sostenetegli il capo con
l'avambraccio, e il collo
con il polso. Stringetegli
la parte superiore del
braccio tra il pollice e le
altre dita.

Incidenti di percorso

Prima o poi succederà che vostro figlio faccia la cacca nella vasca. Chissà, forse per un meccanismo di autodifesa, come un calamaro che spruzza l'inchiostro. Comunque sia, è avvilente e disgustoso, ma rientra nei riti di passaggio che sanciscono il vostro status di padre.

Per eseguire la bonifica ambientale, dovrete:

- tirare fuori il bambino dalla vasca, avvolgerlo nell'asciugamano e metterlo su una superficie sicura;
- svuotare subito la vasca, risciacquarla con acqua e sapone e poi riempirla di nuovo;
- munirvi di un nuovo asciugamano per avvolgerlo dopo il bagno, rimettere il bimbo nell'acqua e ricominciare tutto da capo.

Per quanto riguarda la pipì quasi nessun papà cambia l'acqua, visto che:

- capire se un neonato ha fatto pipì nella vasca è davvero difficile;
- l'urina è perlopiù acqua;
- quasi tutti i papà hanno fatto pipì nella doccia per anni, senza che gli accadesse niente di grave.

Il riflesso di immersione

Prima o poi capiterà che perdiate inavvertitamente la presa e che la testa del piccolo finisca sott'acqua per un secondo o due. Niente panico. I neonati sono dotati sin dalla nascita del cosiddetto riflesso di immersione, una reazione automatica che impedisce loro di respirare quando sono sott'acqua. Nei pochi istanti che vi serviranno per tirarlo su, al bambino non accadrà niente. Il riflesso dura una trentina di giorni e poi scompare.

Ciò non significa, ovviamente, che dobbiate abbassare la guardia durante il bagnetto.

STRUMENTI UTILI PER IL BAGNETTO

Cuscinetto per il bagno imbottito

Questo cuscinetto accoglie comodamente
il bambino, tenendogli la testa dritta e
fuori dall'acqua. Da posizionare sul fondo
della vasca, si impregna d'acqua calda e
trasmette calore al neonato.

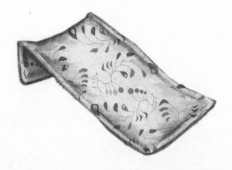

Vaschetta con imbracatura

L'imbracatura impedisce al
neonato di scivolare; quando il
bimbo cresce, potete eliminarla e
ottenere una vaschetta più grande.

Sdraietta da bagno

Una soluzione molto semplice
è costituita da un piano
inclinato ricoperto da una
fodera antiscivolo, che serve
a tenere il bimbo fermo e
con il capo sollevato. Si può
sistemare nel lavandino, in
una vaschetta da neonato o in
una normale vasca da bagno.
Smontabile e facilmente
trasportabile.

Come affrontare
il PIANTO

Il pianto di un neonato può essere assordante quanto una motosega o un aspirafoglie.

Se vi è capitata la sfortuna di lavorare per un capo esigente e instancabile, spiacenti di comunicarvi una brutta notizia: ora ne avete due. Indubbiamente, tra i due, vostro figlio è quello meno comprensivo, ma bisogna ammettere che non potreste mai placare le ire del vostro boss con una pernacchia sul pancino.

Se nutrite qualche dubbio circa il potere che vostro figlio esercita su di voi, provate a trascorrere trenta secondi SENZA reagire quando piange. In qualsiasi genitore, il suono del pianto infantile innesca una biologica "reazione di allarme" che:

- innalza la pressione;
- intensifica la circolazione sanguigna;
- incrementa l'afflusso di ossigeno al cervello.

Vale a dire che il bimbo è Pavlov e voi il cane. Come se non bastasse, l'orecchio umano è particolarmente sensibile alle frequenze di 3 KHz, che è esattamente la frequenza del pianto infantile.

45

Disagio
Stanchezza
Dolore
Fame
Coliche
Noia

RICONOSCERE I DIVERSI TIPI DI PIANTI

Preparatevi a trascorrere circa 500 ore del suo primo anno di vita a sentirlo piangere – lagna più, lagna meno. Se volete attestarvi su una quantità ridotta di emissioni sonore, preparatevi a capire subito cosa gli serve e imparate a distinguere i sei diversi tipi di pianti infantili.

Come i decifratori di codici della CIA durante la seconda guerra mondiale, dovrete usare tutte le vostre capacità di decrittazione per interpretare le sue crisi di pianto, apparentemente casuali. Prestate attenzione al ritmo, al tono, all'acutezza e al volume. Cercate di memorizzare i diversi tipi di pianto e intervenite di conseguenza. Il biberon lo ha fatto calmare? In caso affermativo, avete appena scoperto il pianto per fame. Altrimenti, sperimentate una delle svariate tecniche descritte nelle prossime pagine. Con il tempo, imparerete anche voi il linguaggio del pianto.

Non tutti i bambini piangono allo stesso modo, ma ci sono sei tipi di pianto comunemente conosciuti.

46

Fame

Un pianto lagnoso che diventa sempre
più insistente: piantino-pausa, pianto
più forte-pausa, pianto ancora più forte-
pausa...

Stanchezza

Un singhiozzo leggero e affannato.
Ascoltandolo da vicino, apprezzerete
l'effetto vibrato. Spesso accompagnato
da manine che si stropicciano gli occhi.

Dolore

Pianto acuto che esplode all'improvviso
– come quando scatta l'antifurto di
un'auto.

Disagio

Forti singhiozzi che, se non si interviene,
possono trasformarsi in una sirena
lancinante. Generalmente questi attacchi
sono dovuti a: eccessivo freddo o caldo,
posizione scomoda, pannolino sporco.

Noia

Lamentio sommesso che si interrompe
e riprende in modo irregolare. Non è
affatto un pianto disperato e in genere
cessa appena si entra nella stanza.

Coliche

Un'esplosione di strilli acuti che possono
durare ore. Ogni crisi di pianto può
durare tra i quattro e i cinque secondi,
e si conclude con il bimbo in apnea;
segue una lunga pausa in cui il piccolo
riprende fiato, per poi riattaccare.

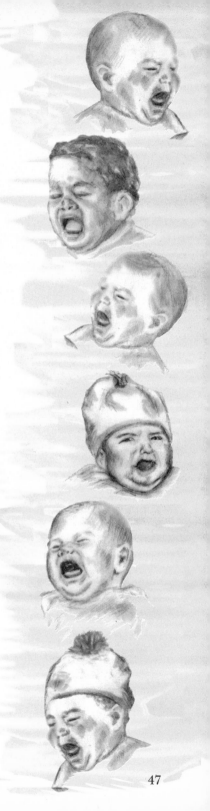

47

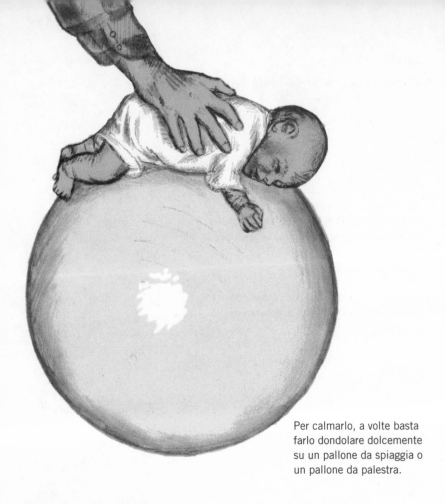

Per calmarlo, a volte basta farlo dondolare dolcemente su un pallone da spiaggia o un pallone da palestra.

A MALI ESTREMI...

E dopo aver provato tutti i normali rimedi e non essere riusciti a placare i singhiozzi, cosa si fa? È il momento di mettere in pratica qualche nuova tecnica. Sappiate che i metodi seguenti, anche se meno noti, sono altrettanto efficaci di quelli tradizionali. L'idea del bimbo-sulla-palla, per esempio, si deve a un papà ingegnoso che, stanco di tenere in braccio la figlia in lacrime, provò ad adagiarla sulla palla da palestra che aveva accanto. Si mise a far rotolare delicatamente la palla avanti e indietro, tenendo la figlia ben salda. Miracolosamente, la piccola si tranquillizzò e il papà in questione aveva appena inventato una nuova tecnica calmante.

Se questo metodo non funziona con vostro figlio, passate a un altro. Ma non escludetene nessuno dalla lista, perché quel che funziona oggi potrebbe fallire domani, e viceversa.

Liberarlo dai gas

La presenza di bolle gassose nell'intestino può creare non pochi fastidi.

- Mettetelo supino e fategli fare la "bicicletta". Portategli le ginocchia ad altezza torace: la pressione esercitata sullo stomaco faciliterà l'espulsione dei gas.

- Andate nel vostro studio, accomodatevi sulla sedia girevole con il bambino in grembo e dategli delle leggere pacche sulla schiena, andando avanti e indietro con la sedia.

- Provate i vari rimedi naturali e omeopatici contro le coliche gassose dei neonati, ad esempio le varie soluzioni in gocce. Se la mamma allatta al seno, suggeritele di evitare alimenti che fermentano, quali legumi, cavoli, broccoli. Il bimbo apprezzerà. E voi pure.

Cambiare scenario

Presentare al bimbo un panorama diverso potrebbe calmarlo.

- Mettetelo di fronte a uno specchio. Potrebbe rimanere incantato di fronte alla sua immagine riflessa o a quella di voi che lo osservate.

- Salite e scendete le scale tenendolo in braccio in modo che si diverta cambiando visuale e muovendosi un po'. Altrimenti mettetelo nel passeggino e spingetelo su e giù per il corridoio. O provate a metterlo in macchina e fate un paio di giri dell'isolato.

- Non vergognatevi di passare la palla alla mamma: magari, per calmarsi, al piccolo basterà cambiare odore, voce, tocco, e voi avrete un po' di tempo per riprendervi – almeno fino a quando la mamma non vi ricambierà la cortesia.

49

Effetto sorpresa

Se cogliete di sorpresa un bimbo in lacrime, potrebbe in un primo momento dimenticarsi del motivo per cui piange.

- Spegnete la luce, attendete qualche secondo, e poi riaccendetela. Ripetere se necessario.

- Mettetegli un piede o una mano sotto l'acqua corrente (dopo averne controllato la temperatura).

- Fategli il verso mentre piange. Potrebbe smettere per osservarvi. Oppure bisbigliate, per indurlo ad ascoltare o provate con i versi degli animali.

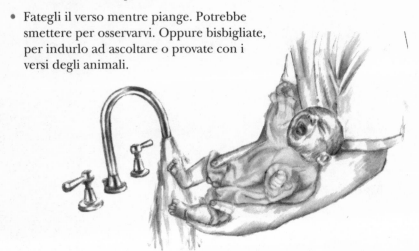

Ritorno all'utero

Alcuni neonati anelano alla dimora precedente. Provate qualcuna di queste tecniche:

- Posizionatelo nell'ovetto e fatelo dondolare dolcemente avanti e indietro. Questo può ricreare il senso di avvolgimento e di movimento sperimentati prima della nascita. Volendo, esistono anche dei dispositivi elettrici che riproducono questo dondolamento.

- Nel ventre materno, molti bimbi si succhiano il dito: allungategli il ciuccio o una delle vostre dita appena lavate. Assicuratevi che il palmo sia rivolto verso l'alto in modo che il bimbo non si graffi il palato.

- Un bagno caldo, con un "rumore bianco" di sottofondo, servirà a ricreare il senso di avvolgimento.

- Avvolgetelo in un panno.

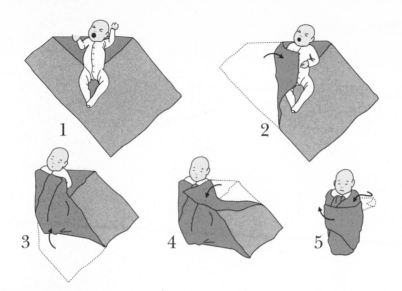

Fasciatura

La fasciatura riproduce il senso di avvolgimento del grembo materno. Tanti neonati trovano conforto in questa camicia di forza in miniatura, mentre altri non hanno alcuna nostalgia dell'utero e ve lo faranno capire all'istante.

Seguite le istruzioni qui di seguito. Una coperta quadrata è forse più indicata di una rettangolare, ma vanno bene entrambe.

1. Stendete la coperta su una superficie piana e piegatene uno degli angoli superiori verso l'interno per una lunghezza di circa 20 cm. Quindi adagiate il bimbo sulla coperta, con la nuca in corrispondenza della piega.

2. Sollevate l'altro angolo superiore, fatelo passare sopra al petto del bambino e infilateglielo sotto la schiena.

3. Sollevate uno degli angoli inferiori e fermatelo sotto il lembo di coperta già ripiegato sul petto.

4. Prendete il lembo di coperta in alto a destra, ripiegatelo sul petto e dietro la schiena.

5. Se rimane sufficiente tessuto, infilate il lembo in basso a destra sotto la porzione di coperta già piegata dietro la nuca.

Se il bimbo preferisce avere le braccia libere, provate con una fasciatura modificata, ripetendo le operazioni precedenti ma infilando sotto le braccia i lembi di destra e di sinistra.

SI PROSPETTANO TEMPI DURI

Nei primi mesi di vita, verso sera i neonati tendono a essere nervosi e a piangere anche per più di un'ora. Si pensa che questi momenti di inquietudine siano un modo per riavviare il sistema nervoso. Tra le 17.00 e le 20.00, è come se il cervello del bimbo esaurisse la capacità operativa e attivasse la modalità lamento.

Per un papà che lavora, queste "ore infelici" risultano particolarmente frustranti: sentirlo scoppiare in lacrime proprio mentre si rientra a casa potrebbe farvi venire dei complessi.

In quanto uomini, potreste sentirvi in dovere di affrontare il problema e di trovare una soluzione. Quando poi constaterete che i vostri sforzi sono stati vani, in preda all'ansia e alla frustrazione, vi sfiorerà l'idea di pubblicare un annuncio di "Vendesi neonato" tra le pagine economiche.

Attenzione, però. Ecco alcuni fattori che potrebbero farvi sentire meglio:

- Le "ore infelici" colpiscono oltre il 75% dei neonati.

- Questa brutta abitudine normalmente cessa a partire dal terzo mese.

- Lasciarlo cinque minuti nel lettino a piangere, dopo svariati tentativi per consolarlo, non lo traumatizza minimamente; anzi, può rappresentare un momento di tregua per tutti e due.

Nel frattempo, procuratevi dei tappi per le orecchie per ridurre al minimo un rumore che può raggiungere i 100 decibel, più o meno il suono di una motosega o di un aspirafoglie.

COMBATTERE LE COLICHE

Arrivano all'improvviso. Seminano il panico per un paio di mesi, per poi sparire di colpo, lasciandosi dietro una scia di nervi logori e confezioni vuote di aspirina. Sono le coliche. E potreste fare presto la loro conoscenza.

Il termine "colica" si riferisce a quelle lunghe crisi di pianto, che possono durare ore e ore. Nessuno ne conosce esattamente la causa, ma molti esperti ritengono che siano legate a disturbi gastrici.

Grazie al cielo, esistono dei rimedi per combattere questo disturbo, che colpisce fino al 20% dei neonati. Oltre alle tecniche già indicate per fargli espellere i gas, tenete in considerazione altri due accorgimenti.

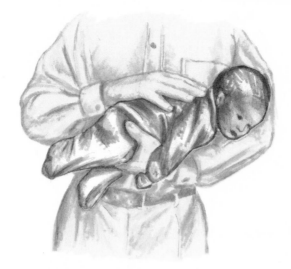

La tecnica di Braccio di Ferro

1. State in piedi con il gomito piegato e il palmo di una mano rivolto verso l'alto.

2. Mettete il bimbo a sedere sulla vostra mano, rivolto verso di voi.

3. Fatelo sdraiare a pancia in giù sul vostro avambraccio, con il capo nell'incavo del braccio.

4. Fatelo oscillare da destra a sinistra, massaggiandogli la schiena.

Il vostro avambraccio produrrà sul suo addome una lieve pressione costante che, combinata con il movimento oscillatorio, recherà sollievo al piccolo.

La tecnica dell'asciugatrice

1. Togliete dall'asciugatrice una salvietta tiepida e sostituitela con un'altra salvietta. Accendete la macchina.

2. Sedetevi sopra l'asciugatrice e mettetevi sulle ginocchia la salvietta piegata o arrotolata. (Controllate che non sia troppo calda.)

3. Adagiate il bimbo sulle ginocchia, con l'addome appoggiato sulla salvietta. Picchiettategli il sedere con una mano e con l'altra massaggiategli la schiena.

4. Quando la salvietta si raffredda, rimettetela nell'asciugatrice e prendetene un'altra. Riaccendete la macchina, piegate la salvietta e procedete come al punto 3.

La combinazione di tepore, vibrazioni, posizione, rumore e massaggio alla schiena potrebbe avere la meglio anche sulle coliche più ostinate.

Per qualche tempo, la lavanderia potrebbe diventare la vostra seconda casa.

La sfida
con il TIRALATTE

Se siete ostili nei confronti del tiralatte, non possiamo biasimarvi.
Dev'essere frustrante vedere un apparecchio che succhia avidamente
dal seno della vostra partner. "Se i robot facessero film porno, si
comporterebbero proprio così."

Ma capirete presto che il tiralatte in realtà è dalla vostra parte.
Vi consentirà, infatti, di dare il biberon al bambino e di chiamare
la baby-sitter per passare finalmente una serata fuori con la vostra
partner. Inoltre, costituisce la soluzione più immediata se la mamma
soffre di ingorghi o occlusioni.

Esistono due tipi di tiralatte: manuali o elettrici. I primi, più economici,
sono anche leggeri e compatti, e si prestano a essere usati a lavoro o in
viaggio. Tuttavia, pompare a mano richiede tempo ed energie; inoltre,
un tiralatte manuale è composto da una decina di pezzi e dopo poco,
il continuo smontare, sterilizzare e rimontare (che probabilmente
toccherà a voi) diventa una noia.

I tiralatte elettrici sono rapidi e pratici e possono essere dotati anche di tubi doppi. Dovrete solo decidere se noleggiare un'ingombrante macchina professionale o acquistarne un modello più semplice. Se la mamma sta cercando di incrementare la produzione di latte, ne servirà uno con un motorino più potente. Ricordatevi che la produzione di latte, come il capitalismo della vecchia scuola, si basa sulla legge di domanda e offerta: più latte viene estratto, più ne viene prodotto.

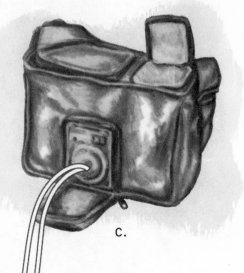

c.

b.

a.

Componenti

Esistono diverse marche di tiralatte elettrici, ciascuno dei quali prevede una serie di componenti simili (ma non interscambiabili). Una campana anatomica avvitata su un biberon (a) è collegata al compressore (c) mediante tubi (b). Il latte estratto passa direttamente al biberon. Tutti i componenti che entrano in contatto con il latte (sostanzialmente i biberon) devono essere smontati e risciacquati dopo ogni estrazione, e sterilizzati con acqua bollente prima del loro nuovo utilizzo. I tubi vanno lavati ogni settimana, o comunque ogniqualvolta presentino residui di latte o condensa. Per asciugare i tubi, collegateli al compressore acceso per un paio di minuti. I produttori sconsigliano di condividere l'uso del tiralatte, operazione poco igienica. Siccome l'apparecchio è piuttosto costoso, però, molti scelgono di affittare il compressore, acquistando soltanto il biberon con campana e/o i tubi. Se la mamma ha un qualsiasi problema con l'allattamento – o diretto o con il tiralatte – potete rivolgervi a un consulente per l'allattamento (non stiamo scherzando, esistono davvero e si trovano anche sulle pagine gialle), oppure a La Leche League (sito italiano: www.lllitalia.org), un'associazione internazionale che promuove l'allattamento al seno.

CONSERVARE IL LATTE ESTRATTO

Conservazione a breve termine – Staccate il biberon dalla pompa, chiudetelo e appiccicateci sopra un foglietto con la data. Il latte si conserva in frigo fino a cinque giorni.

Conservazione a lungo termine – Per conservare facilmente il latte, potete acquistare dei normali biberon monouso, oppure versarlo in una vaschetta a scomparti per il ghiaccio (dopo averla sterilizzata) e riporlo in freezer. Il latte durerà almeno due mesi. Quando vi serve, estraete un cubetto, mettetelo in un sacchettino di plastica e immergetelo nell'acqua calda. Quando si è sciolto, versate il latte nel biberon. Ciascun cubetto equivale a 60 grammi circa di latte.

Conservate il latte materno in una vaschetta per il ghiaccio, ma ricordatevi di contrassegnarla, onde evitare spiacevoli inconvenienti al vostro prossimo rinfresco.

GLOSSARIO DELL'ALLATTAMENTO AL SENO

I termini che dovete conoscere anche voi

Colostro – Liquido giallognolo che fuoriesce dal seno nei primi giorni dopo il parto, prima che arrivi il latte vero e proprio. Il colostro fornisce sostanze nutritive e anticorpi essenziali.

Ingorgo – Comune durante i primi mesi di allattamento, l'ingorgo si verifica quando le mammelle sono piene di latte, e in genere provoca fastidio. I rimedi: allattare subito o estrarre il latte, impacchi tiepidi.

Occlusione – Quando i dotti galattofori sono ostruiti, sulla superficie del seno si avverte un nodulo molliccio che può essere doloroso. Rimedi: svuotare le mammelle regolarmente, massaggi e impacchi tiepidi.

Riflesso di ricerca – L'istinto del neonato a volgere la testa verso qualsiasi stimolo che gli solletichi le guance. Anche l'azione di aprire la bocca, tirare fuori la lingua e cercare il capezzolo attiene allo stesso riflesso.

Cuscino da allattamento – Fatto a ferro di cavallo, va sistemato attorno al busto del neonato per sostenerlo durante la poppata. Più avanti, quando il bimbo comincerà a sedersi, lo aiuterà a mantenere la posizione e a non picchiare la testa per terra. Funge anche da ameno copricapo.

L'evoluzione del cuscino da allattamento.

Dare a vostro figlio il primo biberon è il rito iniziatico per guadagnarsi il titolo di Fornitore ufficiale. Se per caso gli alieni dovessero rapire la mamma, fino al suo ritorno potrete dare voi da mangiare al piccolo. E una volta che il bimbo accetterà il biberon da voi, probabilmente lo accetterà da qualunque altra persona, il che significa che potrete prendere una baby-sitter e trascorrere un paio d'ore fuori con la vostra partner.

Alcune informazioni utili in vista del vostro primo biberon:

- Se la mamma allatta, cominciate a dare il biberon al bimbo quando ha circa un mese. Se iniziate troppo presto rischiate che vostro figlio non sia ancora pronto, mentre se aspettate troppo potrebbe essersi abituato al seno e rifiutare del tutto il biberon.

- Se non si attacca subito, non scoraggiatevi. Provate e riprovate con tettarelle di varie dimensioni e latte a varie temperature: alla fine, quasi tutti i neonati si attaccano.

- Dategli il biberon una volta al giorno, non di più: non deve abituarsi fino al punto di rifiutare il seno.

- Gestite queste situazioni da soli, senza che la mamma sia in camera con voi. Vedendola, il bimbo potrebbe confondersi, e lei mettersi a singhiozzare, scorgendo nel biberon il primo segnale che l'uccellino sta per lasciare il nido.

Procedure biberon

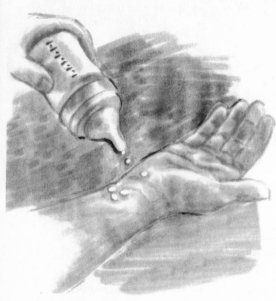

1. Scaldare

Immergete per quache minuto il biberon in un pentolino di acqua calda. Evitate il microonde, che distrugge gli enzimi presenti nel latte materno e scalda in modo disomogeneo.

2. Temperatura

Versatevi qualche goccia di latte sul polso. La temperatura del biberon non deve superare quella corporea.

3. Lancio dell'esca

Poco prima di portargli alle labbra il biberon, spargete del latte sull'esterno della tettarella.

4. Manovra di avvicinamento

Tenete il bimbo in braccio semisdraiato, ma con la testa in verticale per evitare che gli vada di traverso il latte o che possa avere infezioni alle orecchie. Stimolategli il riflesso di ricerca e infilategli la tettarella tra le labbra.

5. Poppata

Perché non ingurgiti aria, inclinate il biberon in modo che il latte riempia completamente la tettarella. Tenete voi in mano il biberon: evitate assolutamente di usare una qualsiasi base per appoggiarlo e non lasciate mai solo il piccolo mentre mangia. Le prime volte, vi converrà di tanto in tanto togliergli il biberon dalle labbra per farlo riattaccare bene.

6. Ruttino

Fateglì fare il ruttino ogni 50 grammi circa di latte, e ogni volta che il bimbo dà segni di nervosismo durante la poppata.

Preparazione del latte artificiale

Anche se non vi sembra di aver notato strane mutazioni nella fauna locale, per i primi tre mesi è consigliabile sterilizzare l'acqua che darete al bambino bollendola.

Il modo più comodo è preparare sei razioni alla volta. Prendete una caraffa pulita e miscelate l'acqua e il latte in polvere secondo le proporzioni indicate. (Versate prima l'acqua, per evitare che si formino grumi.) Mescolate bene. Riempite sei biberon vuoti con il quantitativo desiderato, chiudeteli e infilateli in un portabottiglie. Questo latte sarà utilizzabile per 48 ore.

Lavare il biberon

Dovrete sterilizzare con acqua bollente le parti del biberon solo in occasione del primo utilizzo. Dopodiché, vi basterà lavarle dopo ogni uso con acqua calda e detersivo; altrimenti, potete ottimizzare tempo ed energie infilando tutti i pezzi sul piano superiore della lavastoviglie o utilizzando gli appositi cestini, comodi per tettarelle e ghiere.

LA NOTTE DEI PADRI VIVENTI
Orari spettacoli: h 21:15, 21:34, 23:20, 23:27, 00:53

Quando sentite l'espressione "ciclo del sonno nel neonato", cancellate la parola "ciclo". A meno che non vi riferiate alla teoria del caos, per il primo mese non esiste alcun ciclo. Vostro figlio potrà dormire cinque minuti, così come cinque ore. E quando avrà dormito le sue prime cinque ore consecutive, resistete alla tentazione di brindare perché la prossima volta potrebbe svegliarsi dopo cinque minuti.

Percorso regressivo del padre stremato.

Per i neopapà, si tratta di un periodo surreale, in cui le giornate sembrano suddivise in una decina di minigiornate identiche, irregolarmente distribuite e fatte solo di poppate, ruttini, pannolini e nanne. Il giorno e la notte inizieranno a confondersi. Non ricorderete l'ultima volta che avrete mangiato, fatto una doccia o vi sarete lavati i denti. Dopo una settimana così, assumerete lo stesso aspetto di un medico specializzando al suo primo anno.

TECNICHE PER FAVORIRE IL SONNO

Cantare I neonati non hanno un background musicale tale da accorgersi se stonate, quindi non temete. Scegliete brani cantilenanti e monocordi, tipo *Alla fiera dell'est*. Quando il piccolo inizia a dare segni di cedimento, abbassate il volume della voce e cantate più lentamente.

Poppare Stanca molto i bambini. Spesso, a metà pasto, noterete sul viso di vostro figlio un'espressione da ubriaco: dategli qualche secondo ed è fatta.

Avvolgimento Abituati al ventre materno, molti lattanti trovano conforto nel senso di avvolgimento: se trovate il modo di bloccarli (magari fasciandoli, o sistemandoli sull'ovetto), si addormenteranno più facilmente.

Movimento Ancor prima della nascita, vostro figlio si è abituato male. Nell'utero è stato cullato dai continui movimenti materni e ora che è arrivato sulla terraferma si aspetta probabilmente lo stesso trattamento. Per ricreare questa sensazione di moto perpetuo, potete avvalervi dell'aiuto della corrente, con una sdraio vibrante o un dondolo elettrico; della benzina, prendendo l'auto e facendovi un lungo giro con il piccolo nel seggiolino; o dell'energia paterna, facendovi una passeggiata con il marsupio o il passeggino.

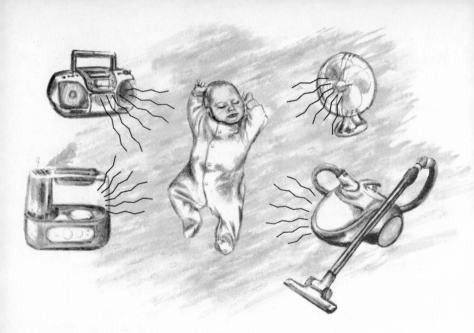

Rumore bianco

Il rumore bianco è uno straordinario induttore del sonno. Non soltanto copre i rumori esterni indesiderati – come telefoni che squillano, porte che sbattono, cani che abbaiano – ma riproduce anche il rumore dei fluidi e dei corpi in movimento che il bimbo era solito sentire nell'utero. Secondo uno studio, i piccoli esposti al rumore bianco hanno una probabilità di addormentarsi superiore di tre volte agli altri.

Fortunatamente, potete ricreare un rumore bianco con l'aiuto di semplici elettrodomestici:

- Accendete un ventilatore, un condizionatore o un depuratore nella sua cameretta.

- Staccate l'antenna da un vecchio stereo portatile e girate la rotella delle frequenze tutta a destra o tutta a sinistra. Garantirete a vostro figlio ventiquattr'ore di rumore bianco senza interruzioni.

- Fate andare per un po' l'aspirapolvere o il phon.

- Prendete un acquario.

Non dimenticate che il rumore dell'aspirapolvere o del phon possono essere snervanti, così come è poco sensato accendere un condizionatore o un ventilatore in pieno inverno. Su www.beprepared.net potete scaricare un file da cinque minuti di rumore bianco: fatene un numero di copie sufficiente a riempire un cd, infilatelo nel lettore, pigiate il tasto "repeat" e sarete a posto per un bel po'.

Pronti a cullarlo?

Due elementi da considerare prima di iniziare:

Ritmo Gli studi indicano che il movimento oscillatorio più efficace è quello che più si avvicina al ritmo della camminata materna: circa sessanta oscillazioni al minuto. Potrà sembrarvi troppo rapido rispetto al dondolio lento e dolce che immaginavate, ma lasciate decidere all'interessato: se andate troppo veloci, non mancherà di farvelo notare.

No Baby, No Cry.

Musica Molti neonati amano essere cullati con un ritmo costante. Per fare addormentare il figlio alcuni genitori usano un metronomo, ma provate invece con la musica reggae: il ritmo deciso, costante e allegro si integrerà perfettamente con i vostri movimenti. Normalmente il reggae si basa su una frequenza compresa tra le cinquanta e le sessanta battute al minuto, perfetta quindi per le esigenze del piccolo (*Buffalo Soldier* di Bob Marley ha praticamente una frequenza di 60 BPM).

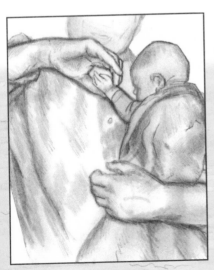

Test del sonno

Prima di metterlo a letto, dovete assicurarvi che dorma profondamente. Per verificare che non sia ancora sveglio, sollevategli un braccio di cinque centimetri e lasciatelo ricadere. Se oppone la benché minima resistenza, dovete continuare a cullarlo.

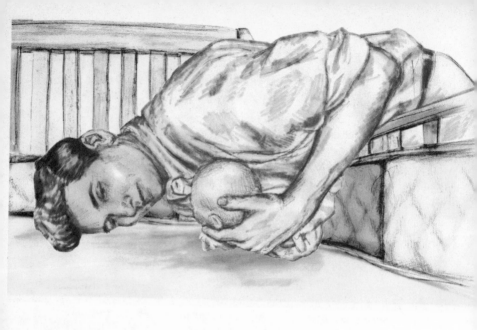

La delicata arte del trasferimento nel lettino

Mettere un neonato nel lettino o nella culla è come disinnescare una bomba. È un'operazione terribilmente delicata. Una mossa falsa e vi sorbirete mezz'ora extra di ninna nanna. Perché il passaggio sia indolore, attenetevi alle seguenti procedure:

1. Mentre lo cullate, modificate gradualmente la posizione delle mani, in modo da poterle facilmente liberare da sotto il suo corpo quando lo poserete sul lettino.

2. Continuando a cullarlo, avvicinatevi lentamente al lettino. Mentre avanzate, controllate che non ci siano giocattoli o altri ordigni sul pavimento. Questi potrebbero farvi inciampare o esplodere fragorosamente come mine antiuomo.

3. Raggiunto il lettino, dimunuite gradualmente il dondolio fino ad arrestarlo.

4. Mentre lo depositate, accompagnate il movimento piegandovi verso il materasso e mantenete sempre uno sguardo vigile sul bimbo. Se il materasso è freddo, il solo modo perché non si svegli di botto consiste nel far mantenere al piccolo il vostro calore. Restate così per un paio di minuti.

5. Iniziate a rialzarvi, estraete le mani da sotto il suo corpo e posategliele sul petto. Resistete fermi ancora un minuto.

6. Ispirate profondamente e togliete lentamente le mani.

66

Interfono

Se decidete di farlo dormire in un'altra stanza, può essere utile dotarsi di un interfono. Ok, per migliaia di anni i genitori ne hanno fatto a meno, ma non avevano un impianto home theatre con dvd e dolby surround. Prima che nasca il bimbo, collaudate i due apparecchi con la vostra partner: lei dovrà stare nella stanza del piccolo a piagnucolare, mentre voi vi aggirerete per casa con le orecchie tese.

Attenzione: ogni interfono può presentare qualche difetto. Se una notte vi sembra di sentire vostro figlio ordinare una pizza, niente panico – il dispositivo può subire delle interferenze esterne, ad esempio da telefoni cordless, radio o altri interfoni nei paraggi. Provate a cambiare frequenza (quasi tutti ne prevedono almeno due) e, se non funziona, prendete in considerazione l'idea di cambiarlo.

Il rischio di morte in culla

Molti genitori temono con ansia la SIDS (Sudden Infant Death Syndrome, la cosiddetta "morte in culla"), ma in realtà il rischio è minimo, non superiore a 1 caso su 1300 (0,07%). E tale rischio si ridurrà ulteriormente se seguirete queste semplici precauzioni:

- Mettete il neonato a dormire in posizione supina.

- Adagiate il bimbo su un materasso ben stabile, coperto da un lenzuolo della misura corretta.

Gli studi sulla SIDS sono in continua evoluzione: rivolgetevi al pediatra per avere informazioni aggiornate.

- Evitate di coprirlo troppo.

- Togliete dal lettino peluche, cuscini, trapunte, coperte pesanti. Se dovete coprirlo, meglio usare il "sacco letto" (vedi p. 84).

- Non fumate e non esponetelo al fumo di altri.

- Ove possibile, è preferibile l'allattamento al seno.

- Frequentate un corso di rianimazione cardiopolmonare neonatale.

La classica
formazione a H.

NEL MIO LETTO COMANDO IO

Volete condividere il lettone con vostro figlio? Molti papà lo adorano, mentre altri considerano il letto uno dei loro ultimi baluardi di intimità, da difendere con le unghie e con i denti.

È una decisione molto più importante di quanto possiate immaginare, perché una volta che vostro figlio si sarà insediato nel talamo, per un bel pezzo sarà difficile farlo dormire nel lettino – una volta abituatosi all'Hilton, secondo voi si trasferirebbe volentieri in un motel?

Alcuni fattori da considerare

Il vostro riposo. Molti neonati mugugnano, gemono e si agitano nel sonno. Questo perché passano molto più tempo degli adulti nella fase REM – un paradosso, visto che non hanno poi molto da sognare.

Il riposo della mamma. Se il bimbo le dorme accanto, può allattarlo senza dover lasciare il letto.

Il riposo del bambino. Più vi trovate vicino a lui, più è facile che reagiate a qualsiasi suo gemito, svegliandolo senza necessità.

Con il lettino "co-sleeper", potete concedervi un po' di riposo in più e la mamma può allattare a letto.

Sicurezza. Se siete di corporatura massiccia e/o avete un sonno molto profondo, prendete sonniferi o bevete troppo, evitate di condividere il letto con vostro figlio. Se non rientrate in alcuna di queste categorie, attenetevi comunque alle precedenti indicazioni per prevenire la morte in culla.

Non dimenticate, inoltre, che tra poco avrete a che fare con un bimbo che ruzzola, il che potrebbe richiedere sponde e altre strutture per garantirgli la sicurezza.

Sesso. Quando riprenderete la vita sessuale, il bimbo nel letto vi costringerà a cercare altri posti, magari più scomodi, per le vostre performance.

Vantaggi intangibili. Molti papà hanno affermato che non esiste niente di più bello che ammirare la propria creatura mentre si sveglia accanto a loro, stiracchia le braccia e le gambe e molla una puzzetta.

Agganciate il sidecar

Se vi piace l'idea di tenerlo vicino a voi, ma non nel letto, potreste utilizzare il cosiddetto "co-sleeper". Si tratta di un lettino a tre sponde da attaccare al letto matrimoniale. È comodo perché permette alla mamma di allattare il bimbo senza alzarsi. Quando il piccolo comincia a gattonare, si può montare la quarta sponda per impedirgli di rotolare liberamente dal suo lettino al vostro.

POSTI ADATTI ALLA NANNA

I neonati dispongono
di un'ampia gamma di posti
in cui dormire quali:

Seggiolino auto – Certi
neonati amano il senso di
avvolgimento del
seggiolino, che
ricorda loro i mesi
passati in grembo.
Addirittura, ci sono
bambini che per i primi
sei mesi non dormono
da nessun'altra parte.

Minilettino – Da collocare
nella parte superiore
del letto, fra i genitori.
È munito di sponde,
perché il piccolo
non rotoli fuori. Poco
pratico, se non per letti
davvero enormi.

Marsupio, fascia
portabebè – Il ritmo
della camminata
contribuisce a cullarlo
e a farlo
addormentare.

Co-sleeper – Da unire al lettone,
come un sidecar. Utile per le
mamme che possono
comodamente allattare senza
alzarsi. Montando la quarta
sponda, funge da normale lettino
o box trasportabile.

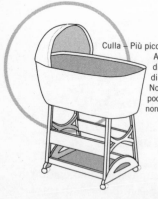

Culla – Più piccola del lettino.
Alcune sono munite
di un dispositivo
di dondolio.
Normalmente, dopo
pochi mesi il bimbo
non c'entra più.

Materassino del
fasciatoio – Può essere
posato sul pavimento per farlo
dormire. I bordi rialzati impediscono
al bimbo di scivolare fuori.

Sdraietta a dondolo – Le oscillazioni continue facilitano il sonno, ma normalmente l'imbottitura piuttosto sottile rende preferibili altre sistemazioni.

Altalena a batteria – Questo oggetto ha un potere ipnotico sui neonati. Ricordatevi solo di tenere sottomano delle batterie di ricambio.

Lettino – Potete fare del lettino un signor LETTINO attrezzandolo con accessori che lo aiutino ad addormentarsi e a intrattenersi al risveglio. Tra questi optional: giostrine e giochi da appendere, palestrine.

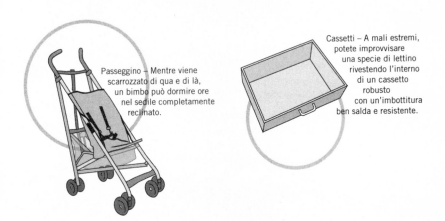

Passeggino – Mentre viene scarrozzato di qua e di là, un bimbo può dormire ore nel sedile completamente reclinato.

Cassetti – A mali estremi, potete improvvisare una specie di lettino rivestendo l'interno di un cassetto robusto con un'imbottitura ben salda e resistente.

Il ritorno al LAVORO

È molto probabile che a un certo punto dobbiate abbandonare il mondo dei bebè e tornare a quello del lavoro. Se usufruite del congedo di paternità, avete il diritto di astenervi dal lavoro per un periodo che varia a seconda del vostro contratto; altrimenti potreste cercare di accordarvi per un part-time.

In ambedue i casi, il datore di lavoro non può penalizzarvi per il tempo dedicato al neonato. Tuttavia, alcune aziende non prevedono il congedo di paternità, quindi prima di irrompere nell'ufficio del capo per far valere i vostri diritti, accertatevi di essere coperti.

Per ulteriori informazioni contattate i sindacati o consultate il sito del Ministero del lavoro.

PRIVAZIONE DEL SONNO AL LAVORO

Rientrando al lavoro, l'ostacolo di gran lunga più arduo da affrontare sarà la stanchezza. Dovrete svolgere le stesse mansioni di prima, ma per farlo vi servirà il doppio del tempo. Dovrete rileggere la stessa pagina tre volte prima di capirci qualcosa e vi si incroceranno gli occhi di fronte alle tabelline. E scordatevi pure di preparare una presentazione in PowerPoint. Ci mettereste una vita a trovare le parole giuste.

Recenti studi hanno dimostrato che per ogni ora di sonno persa, si riduce il QI. Si blocca il sistema cerebrale che regola il linguaggio, diminuisce la memoria, si allungano i tempi di reazione, insorge irritabilità. Consolatevi con il fatto che la mancanza di sonno non vi ucciderà, a meno che al lavoro non usiate macchinari pericolosi.

Per combattere gli effetti del mancato riposo, esistono dei rimedi. È stato dimostrato che dei sonnellini, anche brevissimi, possono fare miracoli per la freschezza mentale. Secondo uno studio della NASA, i piloti di linea che si concedono una siesta media di 26 minuti migliorano il proprio rendimento del 34%. (Ci auguriamo che non facciano il pisolino mentre sono di turno.)

A casa, le sieste sono ammesse. Ma a meno che non abbiate uno studio privato, al lavoro dovrete escogitare qualche altra soluzione per chiudere gli occhi. Ecco alcune possibilità:

- Durante la pausa pranzo, potete rifugiarvi in macchina, abbassare il sedile e sprofondare nel sonno.

- Se avete una palestra vicina, potete stendervi su un materassino e fare qualche esercizio di rilassamento.

- Nei casi più disperati, potete chiudervi in bagno, sedervi con un rotolo di carta igienica sotto la guancia a mo' di violino e chiudere gli occhi.

PER NON CROLLARE SULLA SCRIVANIA

Talvolta, riposare non è proprio possibile – dovrete stringere i denti e arrivare a fine giornata. Ecco qualche stratagemma per restare svegli davanti al pc. Combinandone quattro o cinque, dovreste farcela.

1. Accendete le pale, l'aria fresca vi terrà svegli.

2. Usate i Post-it per tutto (non fidatevi della vostra memoria!).

3. Caffè (che però disidrata) e integratori sportivi (per ripristinare il livello di elettroliti).

4. Gomme da masticare (preferibilmente alla menta piperita o cannella, eccitanti naturali).

5. Musica acuta e dissonante (perfette le cornamuse).

6. Pausa ogni ora per salire una rampa di scale (serve a ossigenare il cervello).

7. Barrette energetiche per pranzo (un pasto pesante facilita la sonnolenza).

8. Pediluvi di acqua fredda (un po' ridicolo, ma fa miracoli).

9. Foto del bimbo sulla scrivania, per muovere gli altri a compassione se crollate sulla tastiera.

Gli esperti concordano: leggere ad alta voce ai bambini, anche se neonati, è un'ottima cosa. Udire il suono delle parole lette a voce alta aiuta il cervello del bimbo a costruirsi una "mappa" con cui assimilare, e infine riconoscere, le strutture fonetiche che sono alla base del linguaggio. In poche parole, si tratta di un sistema di apprendimento audio per neonati.

E allora perché non istituire una sessione quotidiana di lettura papà-figlio appena possibile? Sarà divertente per entrambi. E se anche il bimbo non distinguerà una macchinina a pedali da un'auto di formula uno, ascoltare la vostra voce lo aiuterà a consolidare il suo legame con voi e a sentirsi protetto.

Potreste scegliere di leggergli una rivista di sport, magari a colori. In questo modo:

- Il bimbo rimarrà colpito dalle immagini. Generalmente le divise hanno forti contrasti cromatici, che stimolano la reazione visiva. I bimbi AMANO gli arbitri.

- Potrete ammaliarlo con le vostre telecronache. Anzi, se ve la sentite, potrete anche imitare la voce del vostro telecronista preferito.

- Il piccolo apprezzerà l'enfasi con cui scandirete certi nomi stranieri.

- Scoprirete i retroscena su tutte le partite che non avete più il tempo di vedere, mantenendo così una seppur minima continuità con la vostra vita precedente.

- Trasmetterete al piccolo il vostro entusiasmo per l'argomento. E se non siete appassionati di sport, potete sempre leggergli una rivista di cinema, scienze o auto.

Il passeggino,
istruzioni per l'USO

I papà che non partecipano all'acquisto del passeggino perdono l'occasione di poter poi sfoggiare frasi come "raggio di sterzata", "chiusura rapida a molla", "prestazioni su sterrato". Inoltre, se lasciate alla mamma il compito di scegliere il passeggino, poi non potrete lamentarvi se vi ritroverete ad arrancare in un centro commerciale, spingendo un mezzo vetusto con un orsetto stampato sul tettuccio.

Prima di acquistare il passeggino non dimenticate di effettuare i seguenti test

Prova del mezzo
Testate maneggevolezza e praticità del passeggino in spazi ridotti. Riuscite a spingerlo comodamente con una mano sola? Le maniglie sono a un'altezza tale da non costringervi a piegarvi? Trasformate il negozio in una pista da slalom e saggiate i limiti del mezzo.

Controllo delle parti mobili
Chiudete e aprite il passeggino. Riuscite a farlo con una mano sola (ponendo che con l'altra teniate il bimbo)? Provate il meccanismo di chiusura, la regolazione dell'inclinazione, i freni. Sono resistenti? Comodi da usare? Ha l'imbracatura di sicurezza regolabile in cinque punti? Scuotete il passeggino per valutarne la robustezza.

Sollevamento e trasporto
Riuscireste a portarlo su per le scale? Vostra moglie riuscirebbe a metterlo nel portabagagli dell'auto da sola? Ricordatevi che oltre al passeggino, avrete anche pannolini, salviette, giocattoli, biberon e fino a 11 kg di bebè.

Qualche ingenuo genitore pensa che sia furbo "far scegliere il passeggino al bimbo", mettendolo in varie carrozzine e osservando come reagisce. Pessima idea – soprattutto perché i neonati piangono per un'infinità di motivi e quello che voi interpretate come un rifiuto potrebbe essere magari un attacco di fame.

I SEI TIPI DI PASSEGGINO

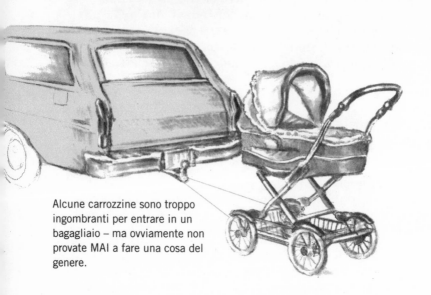

Alcune carrozzine sono troppo ingombranti per entrare in un bagagliaio – ma ovviamente non provate MAI a fare una cosa del genere.

Le carrozzine convertibili in passeggino ricordano le classiche carrozzine, ma quando il bimbo cresce si trasformano in passeggino. Poiché nei primi tre mesi i neonati dovrebbero stare supini (in modo da appoggiare la testa), la carrozzina rappresenta la soluzione ideale, anche perché la sua forma permette al bambino e al genitore di stare l'uno di fronte all'altro. Quando si converte la carrozzina in passeggino, però, questo modello non è più tanto funzionale: la carrozzina ha un telaio pesante e ruote che non sterzano, il che riduce la maneggevolezza.

I passeggini combinabili sono simili alle carrozzine convertibili, ma differiscono da esse per il telaio. Sono infatti molto più leggeri (normalmente pesano 9-11 kg), da chiusi hanno dimensioni ridotte e hanno ruote piroettanti a 360 gradi, ideali per gli spazi ristretti.

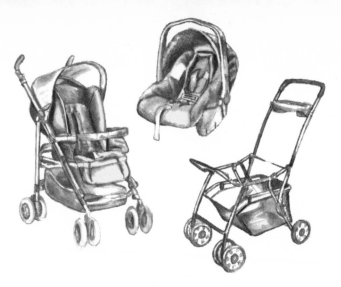

I sistemi modulari e i seggiolini-telaio prevedono due soluzioni per trasferire il bimbo dall'auto al passeggino senza spostarlo dal seggiolino auto. I **sistemi modulari** sono normali passeggini dotati di speciali adattatori che permettono di attaccare l'ovetto sul passeggino, rendendolo più accogliente e sicuro per i neonati. Certi passeggini sono venduti insieme al rispettivo ovetto, mentre altri sono compatibili con vari seggiolini di marche diverse. In generale sono piuttosto ingombranti. I **seggiolini-telaio**, invece, sono costituiti da un nudo telaio munito di ruote, sul quale è possibile montare/smontare liberamente l'ovetto. Richiusi, hanno la dimensione di una sedia di metallo pieghevole. Pesano intorno ai 5 kg e sono relativamente economici.

I passeggini leggeri, con peso variabile tra i 4 e i 9 kg, sono molto comodi in città. I migliori sorprendono per la robustezza (e per il prezzo elevato) e sono dotati di un meccanismo rapido di chiusura a molla. Alcuni dei modelli più recenti hanno lo schienale completamente reclinabile, che li rende adatti anche ai neonati; certi sono dotati di sistemi di aggancio per il seggiolino auto. Tra gli svantaggi ricordiamo le ruote piccole, poco adatte a percorrere strade sconnesse, e la minuscola rete portaoggetti, che obbliga molti genitori ad appendere i sacchetti alle maniglie, a rischio di sbilanciare il passeggino (problema risolvibile applicando un contrappeso alle ruote anteriori).

I modelli leggeri rischiano di ribaltarsi.

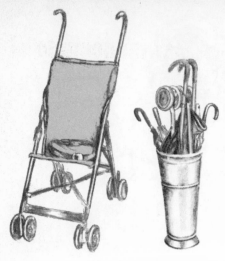

I passeggini a ombrello sono le utilitarie della categoria. Sono economici, leggeri, fragili e alla fine si buttano via: essenzialmente, consistono in un pezzo di tela fissato a un telaio. Grazie all'estrema leggerezza, risultano comodissimi in viaggio e in aeroporto, ma evitate di usarli in altre situazioni: quando si chiudono, tendono immancabilmente a schiacciare le dita.

I passeggini a tre ruote rappresentano i SUV della gamma. Questi marchingegni a tre ruote hanno una ruota principale molto alta, ideale in caso di frontale con un altro passeggino. Perfetti da usare in campagna e durante le escursioni, ma troppo grossi e pesanti per il normale uso quotidiano. Non vanno usati prima che il bimbo non sia in grado di tenere su la testa da solo. Sono chiamati anche "joggers", ma per quanto siate maniaci della corsa, non comprate un affare del genere prima che il piccolo sia nato: solo allora potrete decidere se avete ancora voglia di fare jogging spingendo un passeggino. Il più delle volte, con l'arrivo del bimbo, questi passeggini si trasformano in cestini da picnic.

I passeggini a zaino sono utilizzabili in entrambe le modalità, dato che il telaio dello zaino costituisce anche il corpo del passeggino. Esistono poi dei modelli formati da un seggiolino auto che costituisce la base del passeggino. A breve, forse inventeranno il modello combinato passeggino + pannolino...

Alcuni accessori utili
(**venduti separatamente**):
- copertura di plastica antipioggia;
- copertina, per la parte inferiore del corpo, quando fa freddo;
- capottina anti-UVA;
- reggibicchiere, per il vostro whisky di puro malto;
- vassoio giochi con portapiatto;
- borsa a rete da agganciare, per bagaglio extra.

La MISE perfetta per un neonato

Eccoci alle prese con l'indumento fondamentale che vostro figlio indosserà nel primo anno di vita. È il mix perfetto di comodità e praticità; va bene per la nanna, il gioco e si adatta benissimo all'attività fisica e dinamica del frugoletto. Che gattoni per casa o lo portiate fuori in passeggino, la tutina è quello che fa per voi.

E soprattutto, le tutine non hanno il collo chiuso. I neonati odiano infilare la testa in un buco angusto, forse per paura di essere rispediti a forza nel grembo

materno. Le tutine sono aperte dal collo alle caviglie, quindi non dovete fare altro che adagiare il bimbo sulla tutina, infilare braccia e piedi negli appositi buchi e richiudere la zip o i bottoni.

E poi, ciliegina sulla torta: quando il bimbo cresce, si possono tagliare via i piedi alla tutina, trasformandola in un normale pigiamino.

Ora, la vostra partner potrebbe puntare all'estetica, scegliendo contro ogni logica di vestire il neonato con golfini, pagliaccetti, calzamaglie, collant... capi di sartoria, con colli strettissimi e chiusure inaccessibili.
Su questo terreno non avrete scampo, ma appena tocca a voi potete sempre infilarlo nella sua tutina.

I papà non li vestono così.

COME REGOLARSI CON IL CALDO E IL FREDDO

Non c'è alcun bisogno di vestire vostro figlio più pesante di voi; saranno le sue proteste a segnalarvi se ha caldo o freddo. Per farvi un'idea, toccatelo dietro al collo: se vi sembra troppo caldo, o troppo freddo, regolatevi di conseguenza. Se il clima è rigido, è buona norma vestirlo a strati, in modo da poterlo coprire o svestire al variare della temperatura. Se gli servono dei guanti, copritegli le mani con dei calzini.

Nanna in inverno

Quando inizia a fare davvero freddo, è probabile che dobbiate aggiungere un altro strato alla tutina. E visto che sconsigliamo l'uso delle coperte per i lattanti, ecco entrare in scena il sacco nanna. Simile a un sacchettone di tessuto, privo di colletto e di maniche, il sacco nanna lo farà assomigliare a una larva gigante, ma gli impedirà di scalciare via la coperta, tipico divertimento da neonato.

Chiuso nel sacco nanna, ricorda un bruco pronto a trasformarsi in farfalla.

Al sole

Per i primi sei mesi, trattatelo alla stregua di un vampiro, esponendolo il meno possibile ai raggi solari diretti. Quando lo portate a spasso, ricordatevi di proteggerlo con indumenti ampi e a maniche lunghe.

Compiuti i sei mesi, potete avventurarvi al sole per brevi periodi, ma ricordatevi di spalmargli della crema protettiva su tutte le parti del corpo scoperte. Provate anche a mettergli degli occhiali da sole – senza stupirvi se il più delle volte voleranno per terra invece di stare al loro posto. Un cappellino parasole, come quello dell'immagine, ripara la testa e il collo e contemporaneamente protegge gli occhi.

Nanna in estate

Che si fa quando è troppo caldo per mettergli la tutina? Ecco un bel trucchetto, semplice semplice: il body. Scollo ampio, chiusura a bottoncini: come non amarlo? Quando il body è sbottonato sotto, sembra che il bimbo abbia la coda o che indossi il frac.

Se lo scollo è troppo stretto, lasciateci infilata un paio d'ore una bottigliona di plastica da due litri per allargarlo un po'.

Probabilmente ve ne sarete già accorti: la maggior parte del tempo trascorso con un neonato è fatto di ore e ore di pura assistenza fisica, scandita da qualche giretto a carponi, canzoncine e sfide a chi distoglie per primo lo sguardo. Vi capiterà di lanciare un'occhiata all'orologio convinti che siano passate due ore, e invece saranno trascorsi solo quindici minuti.

A volte, la solitudine e la mancanza di stimoli intellettuali può originare un senso di squilibrio. Potreste ritrovarvi a sollevare la cornetta, bramosi di conversare con un operatore di telemarketing pur di interagire con un adulto; a fissare con occhio spento una trasmissione per bambini mentre vostro figlio, accanto a voi, dorme già da mezz'ora; a concludere automaticamente ogni conversazione con un acuto "ciao ciao". Vi sta andando in pappa il cervello? Cosa si può fare al riguardo?

Come recuperare un minimo di lucidità mentale

- **Createvi un santuario.** Individuate una stanza della casa a vostro esclusivo uso e consumo, assolutamente interdetta al bambino. (Se abitate in un piccolo appartamento, potete optare per la cabina

Prima di dimenticarvi tutto quanto, registrate i vostri ricordi su un calendario da parete.

armadio.) Trasformate il locale in un tributo alla vostra vita passata. Tirate fuori i poster dei vecchi concerti, le insegne rubate per strada, i bonghi, il glorioso cuscino da stadio, la decorazione sul cofano della vostra prima quattroruote, la testa miniaturizzata comprata dallo zio a Singapore. Ogni volta che il piccolo dorme, rifugiatevi nel santuario per trovare pace.

- **Sporcatevi le dita di inchiostro.** Vivere con un neonato è come vivere in una bolla. Appena vi è possibile, leggete qualche giornale e tenetevi in contatto con il mondo. Così facendo, la prossima volta che vi capiterà di parlare con un adulto potrete discorrere di qualcosa che non siano pannolini e biberon.

- **Mantenete il vostro peso forma.** Dopo la nascita del figlio, è come se certi padri volessero sperimentare per solidarietà una sorta di gravidanza, gonfiandosi mostruosamente a furia di cibi ingurgitati a ore improbabili e per la totale mancanza di esercizio fisico. Invece, mantenersi in forma è importante: non solo perché vi sentirete meglio, ma anche perché quando il piccolo comincerà a gattonare vi succederà spesso di dover scattare in piedi per evitare che si faccia male.

- **Spiccate il volo.** Il tempo interiore scorre molto più lentamente di quello esteriore: se vi trovate insieme al piccolo e il tempo sembra essersi congelato, prendete vostro figlio e uscite. Non importa per andare dove. Magari dal meccanico, a fargli annusare l'odore dei motori o a fargli ammirare le carrozzerie luccicanti.

- **Frequentate altri papà.** Se volete apprezzare la vostra nuova condizione di genitore, non uscite con amici single. Potrete illudervi che le loro esistenze siano vuote e prive di scopi nobili, ma vi sarà difficile non invidiare la loro libertà. Cercate piuttosto di trascorrere un po' di tempo con altri neopapà, per trovare un po' di consolazione. Mal comune, mezzo gaudio.

- **Prendete appunti.** Magari vi hanno regalato uno di quegli album per neonati, ed è almeno un mese che non lo aggiornate. Provate invece ad appendere da qualche parte (in cucina è l'ideale) un calendario gigante da parete. Diversamente da un album, il calendario è sempre sottocchio, e lo potete riempire anche con il bimbo in braccio. Ogni volta che succede qualcosa di interessante, scrivetela e basta. Potete anche incollarci qualche foto. Alla fine del mese, strappate la pagina e tenetela da parte per rileggerla in futuro.

Consultare il calendario assolve una duplice funzione, poiché vi ricorderà che: a) il tempo non si è fermato e b) in mezzo a tutto lo stress, vivete dei momenti davvero meravigliosi e memorabili. Assaporateli, perché non torneranno mai più. Non con questo figlio, almeno.

Riprendere la vita SESSUALE

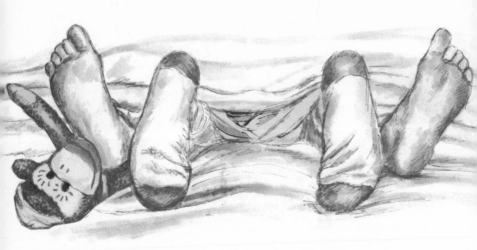

Prima di entrare nel panico riflettendo sulla vostra vita sessuale (o meglio sulla mancanza di essa) da quando è nato vostro figlio, valutate quanto segue. Una recente ricerca pubblicata dal *Journal of Family Practice* riporta che, a due mesi dal parto, il 50% delle coppie intervistate ha ripreso a fare sesso, quota che sale a oltre il 90% dopo quattro mesi. Pertanto, potete aspettarvi con ottime probabilità di riaprire le danze non oltre il centoventesimo giorno (sentite condoglianze a quanti appartengano al restante 10%).

Se quattro mesi vi sembrano un'eternità, ricordatevi che è il periodo minimo per sgombrare completamente la mente dal ricordo del parto. Che la nascita del proprio figlio sia un evento miracoloso non è in discussione, ma la visione di un testone viscido che spunta dalla propria partner ha un che di terribile, come confermerà chiunque abbia visto *Alien*.

E quando vi sentirete pronti e avrete di nuovo voglia di avere un rapporto sessuale, dovrete aspettare che anche lei sia pronta. Fino ad allora, pazientate. Ah, forse è il caso di attivare una connessione internet ultrarapida.

Lei potrebbe ignorarvi, perché:

- gli ormoni stanno azzerando i suoi impulsi sessuali, a garanzia che lei si occupi di questo neonato e non tenti di generarne uno nuovo;

- il suo fisico, reduce da una performance degna di Houdini, è in fase di recupero;

- per tutto il giorno ha un rapporto simbiotico con il figlio, lo allatta, lo abbraccia, lo accarezza e lo riempie di attenzioni. Per qualche tempo, potrebbe non avere energie da dedicarvi;

- non entra più nei vestiti, da cui il timore che non la troviate più attraente. Fate quanto possibile per convincerla del contrario.

Oliare gli ingranaggi

Il papà preparato sa che i preliminari non cominciano in camera da letto, né cominciano un secondo prima di fare sesso.

- Non appena vi sarà possibile, concedetevi una sera a settimana tutta per voi, senza figlio, fosse anche per un paio d'ore. Andate a giocare a bowling, a biliardo, al cinema: qualsiasi attività capace di ripristinare un minimo di equilibrio nella vostra vita di coppia sarà la benvenuta.

- L'umorismo è un eccellente afrodisiaco. Stupitela lasciandole un messaggio sul pannolino scritto con un pennarello. Attenti che a cambiare il piccolo sia lei e non vostra suocera.

- Fingete che per voi conti più l'intimità del sesso. Sara durissima, ma pressarla non porterà a niente di buono. Perciò, riempitela di coccole e non abbiate fretta.

- Usate allusioni sagaci. Potete accennare a frasi del tipo: "Stavo leggendo che, secondo uno studio recente, il sesso riduce lo stress e allevia il mal di schiena e i dolori cervicali. Non solo, ma aiuta la cute a riacquistare tonicità e ritarda il processo di invecchiamento. Interessante, no?". Tra l'altro, è tutto vero.

Mamma sei una bomba

- Se vi sentite sul punto di esplodere, provate a chiederle se non farebbe qualcosa per aiutarvi a superare la vostra frustrazione. Non è che le faccia male proprio tutto il corpo, giusto? In cambio, proponetele di tenere il bimbo per una giornata intera, così che lei possa dedicarsi a se stessa. Abituatevi a questo genere di compromessi, che costituiranno una parte essenziale delle dinamiche genitoriali.

Il grande giorno

È impossibile stabilire quando arriverà il grande giorno. Ma è importante essere sempre pronti all'eventualità.

- Fatevi doccia e barba il più spesso possibile.

- Recuperate una scatola da scarpe in cui tenere lubrificante (assolutamente indispensabile per il sesso post-partum), profilattici (potrebbe rimanere nuovamente incinta prima di quel che immaginate) e tutto ciò che può aiutarvi a creare un po' di atmosfera, come vino, candele, olio per massaggi, cd preferiti ecc.

- Mai e poi mai svegliarla per fare sesso. Sarebbe come sottrarre il cibo a una belva.

- Non cercate di stuzzicarla se vostro figlio è nella stanza. Alla fine, il 60% delle coppie cede, ma ricominciare è già complicato senza che il bambino grugnisca e si agiti a un metro e mezzo da voi.

- Ovunque siate, bonificate l'area da ogni giocattolo. Non vorreste che nel mezzo dell'azione parta accidentalmente la canzoncina dei Teletubbies?

- Pianificate la scappatella in modo che coincida con la fase più profonda del sonno del bimbo (che mediamente comincia 15-20 minuti da quando viene messo a letto). Calma, però: i neonati sembrano dotati di un sesto senso per rilevare l'attività sessuale dei genitori e tendono a scoppiare in lacrime proprio nel momento più inopportuno. Sarà l'istinto che li induce a voler eliminare i possibili concorrenti?

Salvaguardate la SCHIENA

È molto probabile che i lavori di fatica spettino a voi. Preparatevi a tenere in collo il bimbo per intervalli prolungati; a portarvi dietro tutta la sua roba; a piegarvi per metterlo o toglierlo dal seggiolino auto; a infilare il passeggino nel bagagliaio e, ogni tanto, a prendere in braccio anche la vostra partner, giusto per dimostrarle che non è aumentata di un etto dopo la gravidanza.

Vi stupisce che ogni anno il 50% degli uomini soffra di mal di schiena? Iscriversi in palestra in questo momento sarebbe un atto di ottimismo cieco, che infastidirebbe anche la mamma, sfiancata e fuori allenamento. Vi toccherà trovare un sistema per tonificare la schiena mentre vi occupate del bimbo. Ecco alcuni esercizi per cominciare. (Per una dimostrazione video della tecnica corretta, andate su www. beprepared.net.)

Crunch obliquo con adesivi

Muscoli interessati: addominali, obliquo esterno e interno.

1. Appiccicate un adesivo bello grosso con uno "smile" (o con qualsiasi immagine riconoscibile) sul gomito sinistro.

2. Stendetevi sul dorso con le ginocchia piegate e le piante dei piedi aderenti al suolo.

3. Appoggiatevi il bimbo sulle cosce e tenetelo saldamente con la mano destra; posizionate la mano sinistra contro la tempia corrispondente e le dita a contatto con l'orecchio.

4. Espirando, sollevate il gomito sinistro in direzione del bimbo, fino a sollevare appena la spalla dal pavimento; teoricamente, dovreste portare l'adesivo a una distanza di circa 30 cm dal suo viso.

5. Tenete la posizione per tre secondi, mentre contraete gli addominali; quindi riabbassate la schiena, inspirando.

6. Ripetete, e poi passate all'altro braccio.

Per cominciare, eseguite 2 serie da 10 per ogni lato.

Piegamenti con ovetto

Muscoli interessati: obliquo esterno e interno.

1. Partite in posizione eretta, con i piedi allineati alle spalle e la schiena dritta.

2. Dopo aver chiuso la cintura di sicurezza al bimbo, con la mano sinistra sollevate l'ovetto (o il marsupio); appoggiate la destra sul fianco.

3. Piegatevi lentamente a sinistra, il più possibile, quindi tornate alla posizione di partenza.

Per cominciare, eseguite 2 serie da 10 per ciascun braccio.

In questo esercizio userete il bambino come un manubrio.

Piegamenti in piedi

Muscoli interessati: dorsali, muscoli del fianco, quadricipiti.

1. Stando in piedi con il bimbo nel marsupio, appoggiate la schiena contro la parete, i piedi in linea con le spalle.

2. Scivolate con la schiena lungo la parete fino a piegare le ginocchia a un angolo compreso tra 45° e 90°. Tenete gli addominali contratti.

3. Contate fino a cinque e ritornate alla posizione iniziale.

Per cominciare, eseguite 2 serie da 5/10 per ogni lato, aumentando gradualmente il numero di piegamenti e la durata di ciascuno. La difficoltà dell'esercizio aumenta con l'aumentare del peso del bimbo.

Allestite un circuito di ALLENAMENTO

Volete trascorrere una mezz'oretta allegra con il piccolo senza annoiarvi? Portate tutta la sua roba in soggiorno e preparate un minicircuito di allenamento. Lui sperimenterà la sua prima sessione di ginnastica, mentre voi sarete il suo personal trainer, pronti a passare da una postazione all'altra per strillare "forza, forza!" mentre lo guiderete lungo il percorso.

Nel mondo degli adulti, un circuito di allenamento consiste in una serie di esercizi (in genere svolti usando degli attrezzi) concepita per sollecitare i vari gruppi muscolari in modo rapido ed efficace. Un circuito per bebè funziona nello stesso modo. Quando avrà completato la sessione, avrà potenziato muscolatura, coordinazione ed equilibrio. Rispettate il programma e avrete il neonato più tosto dei giardinetti.

Mentre allestite le stazioni del circuito, ricordatevi di non fargli eseguire troppi esercizi ravvicinati, ma concedete ai suoi muscoletti un po' di intervallo tra l'uno e l'altro. Dedicate cinque minuti a ogni stazione, e tra l'una e l'altra osservate una pausa per recuperare il fiato. Se comincia a protestare prima di aver completato il percorso, concludete in anticipo e fatelo rilassare. I suoi muscoletti d'acciaio aspetteranno il prossimo allenamento.

1ª STAZIONE

Il **girello** (detto anche "camminatore stazionario") è un aggeggio a due piani con una base tonda e un sedile foderato di tessuto. Ponetevi il bimbo in posizione eretta, onde sollecitare i muscoli centrali (addominali e dorsali, in particolare).

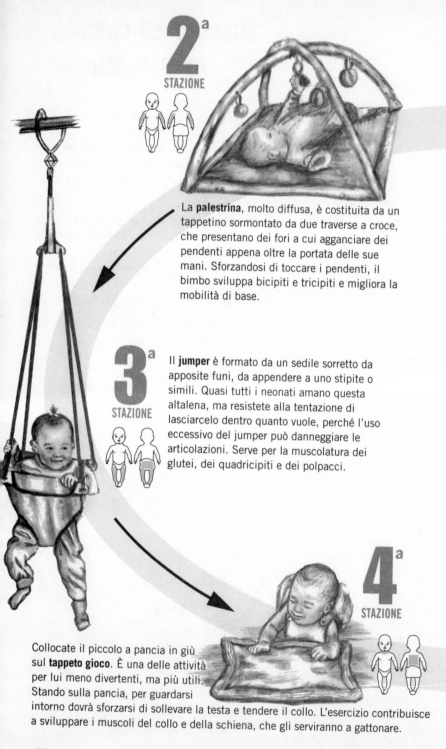

2ª STAZIONE

La **palestrina**, molto diffusa, è costituita da un tappetino sormontato da due traverse a croce, che presentano dei fori a cui agganciare dei pendenti appena oltre la portata delle sue mani. Sforzandosi di toccare i pendenti, il bimbo sviluppa bicipiti e tricipiti e migliora la mobilità di base.

3ª STAZIONE

Il **jumper** è formato da un sedile sorretto da apposite funi, da appendere a uno stipite o simili. Quasi tutti i neonati amano questa altalena, ma resistete alla tentazione di lasciarcelo dentro quanto vuole, perché l'uso eccessivo del jumper può danneggiare le articolazioni. Serve per la muscolatura dei glutei, dei quadricipiti e dei polpacci.

4ª STAZIONE

Collocate il piccolo a pancia in giù sul **tappeto gioco**. È una delle attività per lui meno divertenti, ma più utili. Stando sulla pancia, per guardarsi intorno dovrà sforzarsi di sollevare la testa e tendere il collo. L'esercizio contribuisce a sviluppare i muscoli del collo e della schiena, che gli serviranno a gattonare.

7ª
STAZIONE

L'**altalena**, perfetta per la fase di rilassamento, spesso rappresenta anche il modo migliore per fornire al piccolo atleta il meritato riposo. Inoltre ben presto risulterà troppo piccola per il bimbo, quindi sfruttatela finché potete.

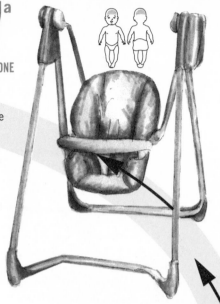

6ª
STAZIONE

Il **cuscino da allattamento** sostiene il bimbo e lo aiuta a imparare come sedersi. Fatelo sedere all'interno del cuscino, mettendogli di fronte qualcuno dei suoi giocattoli preferiti. Sollecita i muscoli dorsali e addominali.

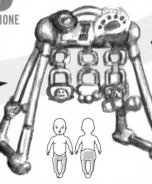

5ª
STAZIONE

Dalla **palestrina primi calci** pendono sonagli e giochini luminosi: quando il bimbo riesce a colpirli con i piedi, dà il via a un piccolo show. Ottimo per rinforzare la metà inferiore del corpo, sviluppare le prime capacità motorie e il senso della profondità spaziale.

99

Avete legato TUTTO?

I bambini adorano lanciare gli oggetti per terra – vederli sparire, sentirne il rumore quando si schiantano o si spiacciano al suolo, assistere alla vivace reazione di papà, e poi vederli ricomparire all'orizzonte.

A meno che non troviate il modo di imbullonare ogni cosa nelle sue immediate vicinanze, dovrete fare i conti con la tendenza del bimbo a scagliare o far cadere tutto quel che tocca. Biberon e ciucci ricoperti di terra, giocattoli abbandonati nel parcheggio del supermercato, ciotole di cereali sparpagliati sul pavimento della cucina. Per non parlare del mal di schiena, frutto delle sedute di "io lancio, tu raccogli".

La bella notizia è che esistono varie soluzioni (vedi sotto) per fissare gli oggetti: quasi tutto può infatti essere legato al piccolo o alla sua postazione del momento.

Un'avvertenza: se volete sistemare da soli i cordini per fissare gli oggetti, non dimenticatevi che qualsiasi corda più lunga di 13 cm costituisce un potenziale pericolo di strangolamento.

scodella a ventosa

giocattoli a ventosa

cordino da ciuccio

cordino da biberon

I GERMI E LA REGOLA DEI CINQUE SECONDI

Secondo la regola dei cinque secondi se un oggetto caduto per terra viene raccolto entro cinque secondi, tecnicamente non è ancora "sporco", altrimenti va lavato.

Pur non essendo mai stata approvata clinicamente, la regola dei cinque secondi è considerata vangelo dai padri di tutto il mondo. Generalmente, sulle questioni igieniche le madri sono più inflessibili, ma è ragionevole pensare che una minor rigidità (nei limiti del buon senso, ovviamente) non sia così grave. Ecco alcuni punti che giustificano una certa tolleranza.

Il terzo figlio. È universalmente riconosciuto che i genitori si fanno sempre meno problemi di figlio in figlio e giunti al terzo, potrebbero sterilizzare solo il minimo indispensabile. Ecco la testimonianza di un papà: "Quando il nostro primo figlio faceva cadere il ciuccio, lo lavavo con acqua e sapone. Con il secondo, lo strofinavo sulla camicia. Con il terzo, glielo avvicinavo con il piede". Eppure, i terzi figli risultano altrettanto sani e robusti dei loro fratelli.

I germi non sono ovunque. Uno studio condotto presso la University of Illinois ha preso in esame decine di ambienti nei pressi del campus – la caffetteria, la biblioteca, la zona davanti alle macchinette automatiche – rilevando che la quantità di batteri sul pavimento era considerevolmente bassa in tutte le aree. Per testare la regola dei cinque secondi, i ricercatori dovettero spargere batteri E. Coli sulle piastrelle e buttarci sopra del cibo. Effettivamente, nel giro di cinque secondi gli alimenti risultavano contaminati. Quindi, se vostro figlio fa cadere qualcosa su una cacca di cane, evitate di restituirgliela (per quanto rapidamente la raccogliate).

Come si diffondono i germi. Perlopiù, i neonati prendono i germi da altri neonati. Asili nidi, parchi gioco, vasche piene di palline colorate sono tutti ottimi posti per scambiarsi i microbi. Potete tentare di controllare dove e con chi gioca vostro figlio, ma prima che un altro genitore si accorga che suo figlio è ammalato, il vostro bambino sarà già entrato in contatto con lui.

Il vostro tempo. Se iniziate a sterilizzare ogni oggetto che cade, non vi rimarrà più tempo da passare con vostro figlio.

catenella in plastica

cordino da giocattolo

Come misurare
la FEBBRE a un neonato

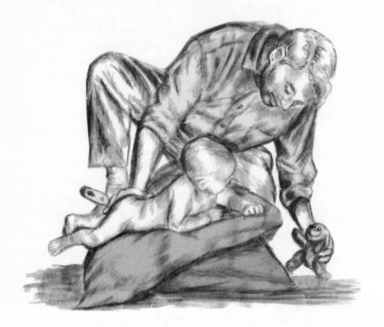

Misurare la febbre a vostro figlio non sarà né semplice né divertente. Ecco alcuni metodi:

- il termometro a orecchio, che può essere clamorosamente impreciso, soprattutto per i piccolissimi;

- il termometro sotto l'ascella, sistema leggermente più affidabile, che però richiede parecchi minuti;

- il metodo "mano sulla fronte", che vi darà solo un'indicazione di massima;

- il termometro rettale, decisamente il metodo più preciso, ma fastidioso per il bimbo, che lo rimuoverà dai suoi ricordi il prima possibile.

Se volete usare un termometro rettale, procuratevi uno strumento flessibile e digitale, e non uno di quei vecchi termometri di vetro che rischiano anche di rompersi. Sterilizzatelo con alcol, risciacquatelo con acqua tiepida, asciugatelo e intingetene la punta in un lubrificante per bambini.

102

E come si fa a tenerlo tranquillo mentre gli misurate la febbre?
Ovviamente l'operazione diventa più semplice se siete in due. Ma se
siete soli, ecco una tecnica (sperimentata con successo) per bloccare in
modo sicuro un bimbo disorientato e infastidito.

1. Mettete a terra due cuscini, uno sopra l'altro, e copriteli con un
   asciugamano.

2. Togliete il pannolino al bimbo e mettetelo a pancia in giù sopra i
   cuscini. Allargategli le natiche e inserite il termometro per circa due
   centimetri e mezzo.

3. Per mantenere il termometro in posizione, appoggiate il palmo sul
   suo sederino, tenendo il termometro tra l'indice e il dito medio. In
   questo modo, eviterete che il piccolo si divincoli.

4. Con l'altra mano, muovete un peluche. Fatelo ballare, cantare,
   chiacchierare con il bimbo: tutto ciò che può servire a distrarlo.

5. Quando hanno rilevato la temperatura, quasi tutti i termometri
   digitali emettono un bip. Controllate il valore, scusatevi con vostro
   figlio e, se necessario, prendete le giuste precauzioni.

In caso di febbre

La febbre in sé non è l'indicatore più affidabile per capire lo stato
di salute di un bambino. Dovete invece focalizzarvi sui cambiamenti
comportamentali – fiacca, irritabilità, pianti continui –, che vanno
prontamente comunicati al pediatra.

Ecco alcune indicazioni generali sulla febbre:

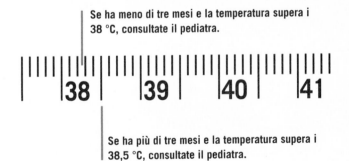

Se ha meno di tre mesi e la temperatura supera i
38 °C, consultate il pediatra.

Se ha più di tre mesi e la temperatura supera i
38,5 °C, consultate il pediatra.

Tra i rimedi più noti contro la febbre: antipiretici, bagnetto tiepido,
impacchi freddi, bere molto.

Come dare
la MEDICINA a un neonato

Se vorrete considerarvi un papà di tutto rispetto, dovrete escogitare un metodo per somministrare le medicine a vostro figlio. Serviranno scaltrezza, perseveranza e, talvolta, pura slealtà.

Qualche trucco per dargliela a bere:

Trasformatelo in un gioco. "Vedi? Le medicine sono buone!" Prima di dare la medicina al bimbo, imboccate per gioco vostra moglie, un peluche e voi stessi.

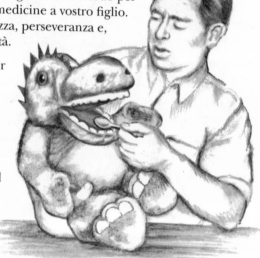

Coprite il sapore della medicina. Certi medicinali possono essere mescolati con alimenti o possono essere congelati (chiedete al farmacista). Versateli in una tazza contenente del succo di mela, o in un biberon con del latte. Congelateli (per attenuarne il sapore) e versateci sopra dello sciroppo al cioccolato. Se usate un contagocce, o una siringa senz'ago, provate a intingerne l'estremità in un po' di zucchero.

Bypassate le papille gustative. Con un contagocce o una siringa senz'ago, puntate all'area tra la guancia e la gengiva inferiore (vedi immagine). Con un po' di fortuna, il farmaco scivolerà in gola senza che se ne accorga.

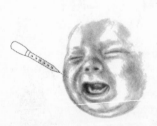

Ricorrete all'inganno. Se siete disperati, usate un cavallo di Troia: esistono degli appositi ciucci che, una volta in bocca, rilasciano la medicina. Attenti, però: il bimbo potrebbe legarsi al dito il vostro tradimento, visto che il ciuccio era una delle poche certezze della sua vita. Oppure provate a dargli del gelato, e dopo cinque o sei cucchiaiate, quando il bimbo ha la bocca spalancata, infilategli rapidamente il quantitativo di medicina che deve ingerire, seguito subito da un altro cucchiaino di gelato – non dovrebbe accorgersi di niente.

Provate a cambiare medicinale. Le medicine possono avere svariati sapori: se il bimbo ne rifiuta una, provatene un'altra. I medicinali possono prevedere dosaggi diversi in base alla loro concentrazione. Scegliete sempre la versione più concentrata, così dovrete dargliene meno. Oppure, optate per la versione in supposta (se esiste).

PER I BAMBINI PIÙ OSTINATI

I bimbi non sempre capiscono che prendere la medicina li farà stare meglio. Se il bimbo si ostina a rifiutare il medicinale, provate la tecnica "acchiappa il vitello".

1. Coprite un bracciolo del divano con un asciugamano (per evitare macchie) e appoggiatevi un cuscino.

2. Avvolgete il piccolo in una coperta, bloccandogli le braccia lungo i fianchi.

3. Fatelo appoggiare con la nuca sul cuscino (non sdraiato, altrimenti il liquido potrebbe andargli di traverso).

4. Sedetevi sul bordo del divano e chinatevi verso di lui: con una mano gli terrete delicatamente, ma saldamente, il mento e con l'altra verserete un piccolo quantitativo di medicina dentro la bocca (vedi pagina precedente).

5. Soffiategli dolcemente in faccia, per attivare il riflesso di deglutizione.

6. Ripetete i punti 4 e 5 per completare la dose.

7. Ringraziate il paziente e invitatelo a passare dalla reception quando esce.

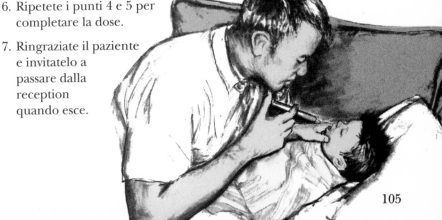

Alleviare i fastidi della DENTIZIONE

I putti di Michelangelo.

Se vostro figlio inizia a sbavare come un forsennato, si innervosisce senza alcun motivo apparente, si sveglia a ogni ora e tenta di mordere qualsiasi oggetto gli capiti sottomano, congratulazioni! Significa che gli stanno spuntando i dentini da latte.

Ma i festeggiamenti saranno l'ultimo dei vostri pensieri, poiché passerete le giornate a chiedervi "Perché proprio a me?". Proprio quando la situazione sembrerà migliorare, il bimbo dormirà per periodi più lunghi e avrete ripreso un rapporto civile con la vostra partner, la dentizione piomberà nella vostra vita a ricordarvi che la "serenità" è un concetto labile e sfuggente.

Mediamente, il primo dentino spunta tra i sei e i sette mesi, ma i sintomi possono manifestarsi parecchie settimane prima che il dente fuoriesca del tutto (talvolta potete avvertire una piccola sporgenza sotto la gengiva). Oltre ai sintomi già elencati, possono manifestarsi anche: eruzione cutanea sul mento, diarrea, lieve febbre, infiammazione o sanguinamento delle gengive e rifiuto del cibo.

Comunque sia, il segno più evidente della dentizione è l'incredibile quantità di saliva che gli colerà sul mento, trasformandolo in un'imitazione di quei pacchiani cherubini da fontana che fanno mostra di sé in certi cortili. Alcuni neonati infradiciano fino a quattro o cinque tutine al giorno.

I pediatri tendono a precisare che sintomi identici possono segnalare anche altri tipi di disturbi, quindi se dovessero persistere consultate il medico.

I ferri del mestiere

Massaggiare le gengive con del whisky è uno di quei vecchi rimedi campagnoli che oggi i dottori sconsigliano. Forse temono che i papà alzino il gomito e stramazzino svenuti sul fasciatoio del piccolo. Scherzi a parte, l'alcol è tossico e basta una dose minima a fargli male.

Scartato il whisky, esploriamo qualche soluzione alternativa:

Dita e nocche. A quanto pare, le nocche paterne sono della dimensione e della consistenza giusta per essere morse. Anche applicare una lieve pressione col dito sull'area interessata servirà ad alleviargli il fastidio.

Giocattoli per la dentizione. Esistono molti giocattoli con sporgenze e bugni da mordicchiare, ma non sempre il bimbo è in grado di maneggiarli. Potete anche usare un apposito spazzolino da dito: il massaggio con le setole attenuerà la sensazione di prurito.

Oggetti congelati. Esistono un'infinità di cose che potete mettere in freezer e far mordere al bambino, tipo: cucchiaini, banane, ciambelle, carote, ciucci, spugne. Una volta congelati, possono essere applicati sulla gengiva. Quando il dentino è spuntato, però, fate attenzione che il bimbo non stacchi e inghiotta un pezzetto di cibo ancora congelato (lo stesso vale per gli appositi biscotti da dentizione).

Potete legare una ciambella congelata al passeggino o al seggiolone.

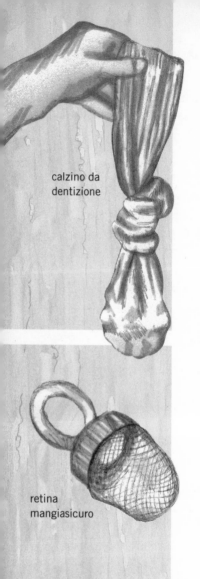

calzino da dentizione

Per ottenere un efficace e casalingo gingillo da dentizione, potete mettere dei cubetti di ghiaccio o delle fettine congelate di mela in un calzino pulito e poi chiuderlo con un nodo. Il bimbo lo terrà in mano e lo mordicchierà (apprezzandone anche il sapore, nel caso della mela). Altrimenti, in commercio si trovano le "retine mangiasicuro", che funzionano in modo simile.

Gel gengivali. Per comprarli, non serve la ricetta medica. Agiscono localmente, anestetizzando la parte infiammata e fornendo sollievo immediato. L'effetto è rapidissimo, ma non si protrae a lungo; inoltre si sconsiglia di applicarlo più di tre-quattro volte al giorno.

Paracetamolo. Il rimedio forse più efficace contro i dolori dovuti alla dentizione. Denominato anche acetaminofene, questo principio attivo è contenuto in farmaci come la Tachipirina e rilascia i suoi effetti fino a quattro ore, garantendo al bimbo e a voi altrettante ore di sonno filato. Prima di somministrare qualsiasi farmaco a vostro figlio, rivolgetevi al pediatra. (Per dargli la medicina, vedi p. 104).

retina mangiasicuro

gel gengivale

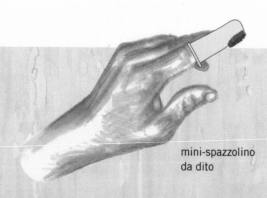

mini-spazzolino da dito

Cura dei denti

Come nessuno porterebbe l'auto a lavare prima di rottamarla, perché prendersi cura dei denti destinati a cadere? Beh, ci sono almeno tre validi motivi per farlo.

- I denti da latte occupano il posto dei denti definitivi: perdere i primi precocemente, potrebbe deformare in qualche misura la bocca.

- Siccome i denti da latte non cadranno prima di cinque anni, se volete che vostro figlio possa gustarsi una bella bistecca, vi conviene cominciare a curarli da subito.

- A meno che vostro figlio non progetti di darsi all'hip hop, vedere il suo unico dentino coperto da un'otturazione in oro sarebbe alquanto destabilizzante.

Per tenere i dentini puliti, strofinateli ogni giorno con una salvietta, un pezzettino di garza, o uno spazzolino da dito. Per ora, il dentifricio non serve. Inoltre, evitate che stia a lungo addormentato attaccato al seno o al biberon, perché lo zucchero nel latte favorisce le carie. Assicuratevi che assuma fluoro a sufficienza, attraverso l'acqua del lavandino o con gli opportuni integratori. E quando compirà i due anni, fatelo visitare da un dentista pediatrico.

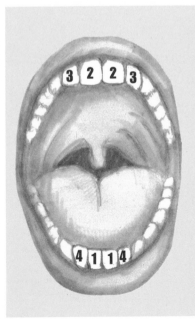

Ordine di comparsa dei denti

Comparsa del primo dente: tra il 6° e il 10° mese

Comparsa del secondo dente: tra il 7° e l'11° mese

Comparsa del terzo dente: tra l'8° e il 12° mese

Comparsa del quarto dente: tra il 9° e il 13° mese

Questi sono valori medi. Certi bambini non mettono il primo dentino prima di un anno, mentre ce ne sono alcuni che escono dal grembo materno con una puntina bianca luccicante sulla gengiva (in tal caso il dente viene rimosso per scongiurare ogni eventuale rischio di soffocamento).

Pronti a USCIRE

Portare fuori un neonato è come far muovere un papa. Dovrete trascinarvi dietro una quantità di roba inaudita. Vige poi una regola misteriosa: le dimensioni del bimbo sono inversamente proporzionali al peso della zavorra.

I padri sono avvantaggiati rispetto alle madri, perché conoscono e applicano una regola fondamentale:

una volta guadagnata l'uscita, non si rientra in casa per nessun motivo.

Se avete dimenticato qualcosa, la ricomprerete per strada o ne farete a meno. Se iniziate a rientrare in casa per recuperare tutto ciò che avete dimenticato o potrebbe servire, non uscirete mai più.

Solo all'idea di uscire da soli con il bimbo, a molti papà vengono i sudori freddi. Se è difficile gestire la situazione in casa, dove si dispone di cibo, riparo, attrezzature, numeri di emergenza... Come sopravvivere all'aperto?

Il segreto sta tutto nella preparazione!

LA VOSTRA BORSA BEBÈ

Molto probabilmente, vostra moglie possederà una "borsa passeggino", che di solito è un borsone piuttosto ingombrante. Volete davvero portarvi in giro un affare del genere? Piuttosto, prendete una borsa da palestra, o un vecchio zaino, e riempitelo con quello che potrebbe servirvi. Ok, non ci sarà un apposito scomparto per le salviettine – ma è proprio indispensabile? Se dovete comprarne uno, recatevi in un negozio di articoli militari e prendete un borsone; sono molto economici, leggeri e fabbricati con una tela assai resistente. Quante borse passeggino sono state collaudate su un campo di battaglia?

Borsone militare

Otto cose indispensabili da tenere sempre in borsa

1. **Pannolini.** Almeno due in più di quelli che avevate previsto.

2. **Salviette umidificate.** Utili per tutto, che si debba asciugare del liquido rovesciato o pulire un giocattolo.

3. **Sacchetti di plastica.** Per infilarci pannolini e salviette usati, o indumenti sporchi.

4. **Telo.** Per farlo stendere quando dovete cambiarlo.

5. **Biberon.** Il latte materno si può conservare in un biberon (da mettere in una miniborsa frigo con del ghiaccio secco); quello in polvere (da versare poi in un biberon con l'acqua) si può tenere in una bustina con chiusura a zip.

6. **Bavaglini anti-rigurgito.** Così non puzzerete di cibo semidigerito.

7. **Indumenti per entrambi.** Un cambio completo per lui e una camicia di scorta per voi, per sicurezza.

8. **Giocattoli.** Dei gingilli adatti alla sua età serviranno a intrattenerlo e a distrarlo in caso di attacchi di pianto.

Non c'è bisogno di imparare l'elenco a memoria.
Vi basterà ricordare una delle seguenti frasi:

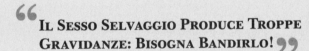

" **IL SESSO SELVAGGIO PRODUCE TROPPE GRAVIDANZE: BISOGNA BANDIRLO!** "

Se questa frase proprio non vi entra in testa, provate con un'altra:

POVERO BABBO! I BEBÈ TROPPO GROSSI SPACCANO SCHIENE.

SPIEGAMI BENE PERCHÉ I BAMBINI SAREBBERO TUTTI GRAZIOSI.

Accessori extra

Dato che dovete essere pronti a ogni evenienza, è consigliabile portarsi dietro qualche extra:

Coltellino multiuso. Utensili tascabili come i coltellini svizzeri sono utili per un'infinità di cose, come aprire una scatola di latte in polvere o aggiustare al volo il passeggino.

Nastro isolante. Ottimo per riparazioni di fortuna su passeggino e marsupio, come chiusura d'emergenza per pannolino e così via.

Ciucci di scorta. Anche se gliene avete appeso uno alla maglietta, è sempre meglio averne tre o quattro in più.

Portachiavi da intrattenimento. Non è chic, ma agganciate le chiavi a un giochino, o a un pupazzetto. Sarà il vostro asso nella manica per distrarlo in mancanza di meglio.

Macchina fotografica. Se non avete un cellulare che scatta foto, portatevela dietro. Non si può mai sapere quando arriverà il momento della foto che vale una mail.

Accertatevi di tenere nel portafogli una chiave di scorta dell'auto, per i casi d'emergenza. A più di un papà, provato dalla stanchezza, è capitato di chiudere le portiere dall'esterno, lasciando dentro la chiave e il bimbo ancora sul seggiolino. Se pensate che a voi non potrà succedere, magari avete ragione, ma infilatela lo stesso nel portafogli. La difficoltà di tranquillizzare un bimbo di sei mesi da dietro un finestrino è equiparabile soltanto all'umiliazione di chiamare il 113 e spiegare la situazione all'operatore.

Alla SCOPERTA del mondo
(4-6 mesi)

Fino ad ora, ovunque venisse portato, il bimbo restava impassibile. Ma a partire dai 4-6 mesi, i neonati iniziano a rivelare la loro personalità e a manifestare delle preferenze per alcuni luoghi.

- **Supermercati.** Per lui, quel tripudio di colori, materiali e suoni sarà davvero eccitante. Lasciatelo sperimentare vari prodotti, da una busta di patatine a una confezione di petto di pollo congelato. E cercate di non perdervi il momento in cui gli inservienti passano a nebulizzare i banchi di frutta e verdura.

- **Negozi di animali.** Il cinguettio degli uccellini, il gorgoglio degli acquari, i criceti, i rettili, possono tenerlo inchiodato per ore. Se guardare senza fare acquisti vi mette in imbarazzo, comprate un giochino sonoro per cani che vada bene anche per un bambino.

- **Scale mobili.** Il saliscendi della scala mobile lo aiuta ad acquisire familiarità con il senso della profondità e la percezione delle distanze; per non parlare dei sorrisi e dei saluti che raccoglierà da chi procede nella direzione opposta. In ogni caso, sulle scale mobili non usate MAI il passeggino.

- **Musei d'arte.** In generale, i bambini piccoli prediligono opere realistiche, specie quando rappresentano persone e animali dai tratti facilmente riconoscibili. Sono colpiti anche dalle sculture, e dai quadri che presentano motivi geometrici con forme ampie e delimitate.

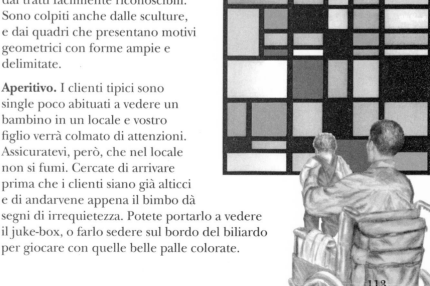

- **Aperitivo.** I clienti tipici sono single poco abituati a vedere un bambino in un locale e vostro figlio verrà colmato di attenzioni. Assicuratevi, però, che nel locale non si fumi. Cercate di arrivare prima che i clienti siano già alticci e di andarvene appena il bimbo dà segni di irrequietezza. Potete portarlo a vedere il juke-box, o farlo sedere sul bordo del biliardo per giocare con quelle belle palle colorate.

Guidare mentre PIANGE

Quando c'è un bimbo in macchina, per guidare occorrono i nervi saldi di un conducente di ambulanza, o di un tassista newyorchese. Da un momento all'altro, la peste potrebbe scoppiare a piangere. E se avete già avuto la sfortuna di ritrovarvi intrappolati in un ingorgo con un bimbo che strilla sul sedile posteriore, allora avete toccato con mano la disperazione.

A volte è indispensabile fermarsi e cercare di risolvere il problema: cambiarlo se è bagnato; dargli il biberon se ha fame (se il bimbo è già passato ai cibi solidi, potete attaccare al seggiolino un piattino portamerenda); fissare una tendina al finestrino se gli dà fastidio il riflesso del sole. Per problemi di altro genere, invece, potete contenere i mugugni alle vostre spalle adottando qualcuna delle seguenti tecniche:

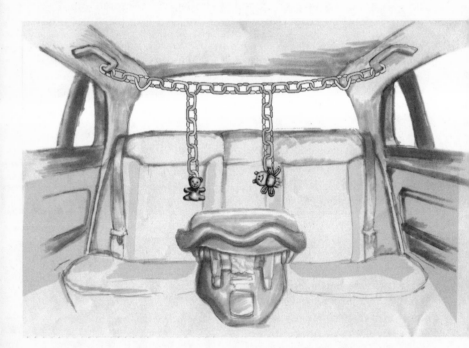

- Attaccate una catenella di plastica tra le due maniglie posteriori dei passeggeri, alla quale appenderete dei giochini morbidi. Durante le soste, potete sostituire i pendagli con altri giocattoli. Assicuratevi solo che non vi ostruiscano la visuale, e che siano alla giusta altezza perché lui possa toccarli e giocarci un po'.

Incollate delle foto su un panno per distrarlo durante il viaggio.

- Tenetevi accanto, sul posto del passeggero, una scatola piena di giochi, per poterli passare al bimbo uno alla volta. Mentre guidate non potrete raccogliere quello che gli cade, per cui vi conviene recuperare tutto all'inizio di ogni spostamento. Vi conviene anche tenere sottomano una scorta di ciucci.

- Con un nastro adesivo resistente, appiccicate qualche foto di famiglia e qualche motivo geometrico su un tovagliolo (se la macchina è a noleggio, anche direttamente sulla tappezzeria...) e attaccatelo sul retro del sedile. Controllate che le foto siano fissate bene, così che il piccolo non provi a mangiarle. Potete anche usare uno di quegli espositori da auto con gli scomparti trasparenti.

- Se il piccolo vi sembra in procinto di addormentarsi, sintonizzate la radio sul "rumore bianco" o aprite leggermente il finestrino per ottenere l'effetto ronzio. Se siete bloccati in coda, giocate di freno e accelleratore per ottenere una specie di dondolio.

- Alzate il volume della radio e scorrete tutte le stazioni fino a trovare una canzone che lo calmi.

IL BURATTINO ALLO SPECCHIO

Ecco una tecnica poco nota, consigliabile quando tutte le altre falliscono.

Vi serviranno tre cose

- Un burattino di pezza, facile da manovrare mentre state guidando.

- Uno specchio da fissare sopra lo schienale posteriore, da inclinare in posizione tale che il piccolo possa vedervi e voi possiate vedere lui dallo specchietto retrovisore. Questo aggeggio è utile nei trasferimenti perché vi permette di tenerlo d'occhio.

- Un cd di canzoncine.

Istruzioni

Infilate la mano nel burattino e verificate che il bimbo lo veda nel suo specchio. Per conquistare la sua attenzione, parlate con voce decisa, ma pacata. Accendete il lettore cd e cantate seguendo la musica, muovendo a tempo la bocca del burattino. Al bimbo sembrerà di vedere la tv. Non distogliete mai l'attenzione dalla strada.

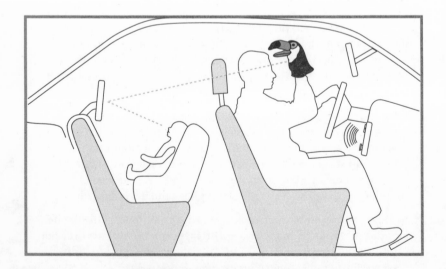

Da fuori nessuno vedrà il bambino e penseranno che siate impazziti.
Ma è il prezzo da pagare per tenere buono il bambino.

I neonati sono
ottimi PASSEPARTOUT

Gli uomini con figli appaiono più sinceri, sensibili e maturi dei loro simili senza prole. Mentre una donna può vedere in un maschio senza figli un predatore, e un uomo un concorrente, i papà sono considerati degli innocui bonaccioni.

Vorreste sfatare questo pregiudizio? Beh, vi consigliamo di non farlo. Anzi, perché non sfruttarlo a vostro vantaggio? Chiunque sia l'interlocutore, portatevi dietro il bimbo e fate leva sulla sua presenza.

Quando lo preparate per il colpo, controllate che sia pulito, cambiato e arzillo. Anzi, fatelo vestire dalla mamma. Ricordatevi che la prima regola è essere gentilissimi.

Situazioni tipiche

Restituire un articolo senza lo scontrino

Per ottenere il massimo risultato, piazzate l'ovetto con dentro il piccolo sul bancone dell'assistenza clienti. Se vi dovessero fare storie, spiegate che in realtà lo scontrino se l'è mangiato vostro figlio e che potreste sempre togliergli il pannolino e mettervi a cercarlo.

Convocazione in giuria

Approfittatene per fargli fare una gita e illustrargli le scappatoie del sistema legale. Con un bimbo frignante in collo, vi congederanno in un baleno.

Posti in prima fila

Se lo portate a qualche avvenimento sportivo, date una mancia allo steward, confidandogli che il piccolo è alla sua prima partita e che vorreste riuscire a fargli vedere le azioni da vicino.

Saltare la fila

Può andare in due modi: alcuni, vedendovi con un neonato, vi inviteranno a passare avanti, altri faranno finta di nulla, limitandosi a un sorrisetto. Se però vi armate di un pannolino carico, le probabilità giocano a vostro favore.

Modalità rimorchio

Se siete un padre single, girellate senza fretta nel centro commerciale, in attesa che le predatrici si avventino. Se siete impegnato, invece, potreste "prestare" il bimbo a un amico single. Nel secondo caso, restate nei paraggi per intervenire in caso di bisogno, ma evitate di camminargli fianco a fianco (altrimenti vi prenderanno per una coppia).

Darsi malato al lavoro

Ora che avete un figlio, non vi mancheranno le scuse per saltare il lavoro: il bambino è malato, mi ha attaccato l'influenza, la baby-sitter non si è presentata, e così via. Prima di chiamare il capo, scaricate da (www.beprepared.net) il file audio di un pianto infantile: con quel rumore in sottofondo, il boss non avrà il coraggio di farvi tante domande.

118

L'espressione "in pubblico" sembra quasi implicare la presenza di spettatori. In realtà, in certi casi la mamma può allattare senza dare troppo nell'occhio: i grandi magazzini dispongono di camerini; le sale cinematografiche sono buie; le librerie hanno il reparto di filosofia. Altri luoghi, invece, specie i ristoranti, offrono scarse possibilità di appartarsi, per cui non le resta che allattare al tavolo o nella toilette. Ricordiamo, peraltro, che per legge la madre può allattare ovunque lo ritenga utile.

Se vi turba l'idea che altri uomini possano vedere il seno della vostra partner, lasciate perdere: la stragrande maggioranza degli uomini non considera eccitanti le donne che allattano. Anzi, si sentono in imbarazzo, non sanno dove guardare. Perciò, se vi trovate a cena con amici e la vostra partner comincia ad allattare, spetta a voi portare avanti la conversazione. Potrete parlare di tutto: sport, cinema, tempo. Beh, non proprio di tutto: magari evitate di nominare il succulento petto di pollo tandoori gustato al nuovo ristorante indiano e, per l'amor di dio, non ordinate del melone.

Per assicurare alla vostra partner un po' di privacy mentre allatta, potete coprirle le spalle con la vostra giacca, schermando seno e bimbo (non usate un capo troppo pesante e non togliete aria al neonato coprendogli il volto).

Prime PAPPE

I primi mesi da papà abbondano di momenti indimenticabili, ma forse uno dei migliori arriverà quando gli darete la prima cucchiaiata di cibo solido. Potrete anche dargli la pappa più delicata del mondo, ma è quasi certo che reagirà come se gli aveste propinato un doppio Jägermeister. È un evento troppo prezioso per osservarlo da dietro la telecamera. Quindi, se decidete di immortalarlo (e fareste bene a farlo), fissate la telecamera su un treppiede o su una pila di libri, così che i vostri occhi siano liberi di soffermarsi su quell'espressione disgustata.

E ironia della sorte, la stessa espressione apparirà sul vostro volto quando gli cambierete il pannolino. Se inizierà a mangiare come i grandi, evacuerà anche come i grandi e di colpo, vi renderete conto che nei primi mesi vi è andata di lusso.

Prima di cominciare con gli alimenti solidi, leggete quanto segue:

- Aspettate che il bimbo abbia compiuto almeno quattro mesi. Prima, scatta un riflesso neonatale per cui gli alimenti solidi vengono risputati – cosa che previene il rischio di soffocamento, ma rende anche impossibile ingerire. Inoltre, l'intestino dei più piccoli non è ancora in grado di assimilare correttamente i nutrienti ed espellere le scorie.

- Se riesce a stare seduto sul seggiolone, si sporge verso le vostre patatine fritte, tenta di masticare quando vi vede farlo, probabilmente è pronto per le pappe.

- Per verificare che non abbia allergie, ogni volta che introducete un alimento nuovo fateglielo provare per tre giorni di seguito, prima di passare a un altro. Così facendo, in caso di reazione allergica saprete quale è stato il fattore scatenante.

Consigli utili per il momento della pappa

Un tappetino antiscivolo fissato al seggiolone gli eviterà di slittare in avanti.

Sedile antiscivolo. Se il bimbo tende a scivolare, ritagliate un pezzo di tappetino da doccia con le ventose e attaccatelo al seggiolone.

Limitate i danni. A meno che non abbiate un cane, a ogni pasto dovrete ripulire i pastrocchi di vostro figlio: tagliate una tendina per doccia in due e stendetene una metà sotto al seggiolone.

Mai forzarlo. Nelle prime settimane, il momento della pappa sarà più un'occasione per abituarlo agli orari che non un pasto vero e proprio. Dato che il bambino continua a trarre nutrimento e calorie dal latte (materno o artificiale), se un certo giorno non avrà più voglia di mangiare lasciate perdere. Non forzatelo altrimenti vivrà l'ora della pappa come un incubo.

Elaborate una strategia. Certi genitori partono dalle verdure, convinti che se il bimbo assaggiasse prima la frutta, così zuccherina, poi non vorrebbe altro. Altri, invece, preferiscono iniziare dai cibi che secondo loro potrebbero piacere di più al neonato. È una decisione che spetta a voi.

Mangiare nudi. Prima di mangiare, toglietegli tutto tranne il pannolino. Lasciate che si imbratti quanto vuole e quando avrà finito, ficcatelo semplicemente nella vasca. Oppure, meglio ancora, dategli la pappa nella vasca – così potrà usarla come sapone.

Apriti, Sesamo! Esistono vari trucchetti per fargli aprire la bocca. Fatelo ridere – cantando, facendo smorfie, porgendogli il cucchiaio con i denti. Oppure spalancate la bocca mentre lo imboccate, per indurlo a imitarvi. (Molti papà cominciano a fare questo gesto inconsciamente e proseguono anche quando il piccolo inizia a camminare.)

Scegliete attentamente il cucchiaino. Un cucchiaino da bimbo poco concavo è più comodo, perché si può usare come spatola per raccogliere tutta la pappa che gli cola sul mento e spingerla in bocca. E tenete sempre un cucchiaino di riserva a portata di mano, caso mai lui voglia tenere il primo. Esistono cucchiaini di tutte le fogge: con gli aeroplanini, i personaggi dei cartoni animati, gli stemmi delle squadre di calcio – ce ne sono perfino che cambiano colore se il cibo scotta.

Alcuni alimenti indicati per le prime pappe

Crema di riso	Patate dolci	Pisellini
Crema d'orzo	Carote	Avocado
Crema d'avena	Fagiolini	Yogurt
Pappina di frutta o verdura		

Servitegli un antipasto. Organizzatevi in modo che all'ora della pappa non sia troppo affamato o già sazio. Quando hanno molta fame, tendono a essere impazienti. Se sono pieni, a essere stanchi e annoiati. Prima del piatto forte, dategli un goccio di latte.

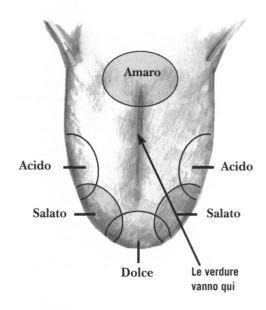

Quando gli date la frutta, mirate alla punta della lingua, dove si trovano le papille gustative che percepiscono il dolce. Quando gli date la verdura, mirate al centro della lingua, dove si trovano le papille gustative non "specializzate".

Mela grattugiata	Albicocche
Banane	Pesche
Prugne	Pere

123

STITICHEZZA

Con l'introduzione degli alimenti solidi, diminuisce la frequenza delle evacuazioni, ma ne aumenta la quantità. L'ideale sarebbe che il piccolo si liberasse ogni giorno, ma a molti capita spesso di passare tre o quattro giorni senza fare la cacca. Finché la cosa non è accompagnata da sintomi di malessere, non c'è problema, ma se vedete che il bimbo si sforza, che le feci sono asciutte e/o dure, è probabile che si tratti di stitichezza.

Ecco alcuni consigli

1. **Le tre "p".** Prugna, pera e pesca (in succo o fresche) hanno un effetto lassativo.

2. **Riempite la vasca.** Preparategli un bagno caldo, con l'acqua che gli arrivi a metà torace. Tenetelo fermo con una mano, e con l'altra massaggiategli delicatamente l'addome. Il più delle volte, nel giro di un paio di minuti, il piccolo si libererà, ma vi occorrerà molto più tempo per ripulire e decontaminare l'area.

3. **Il girello.** Non solo piace molto ai neonati, ma per la sua stessa forma fa sì che i neonati abbiano i piedi ben piantati per terra e le mani aggrappate al bordo: una postura perfetta per spingere. Anche se non sembra avere la stessa efficacia su tutti, molti papà hanno rilevato che il girello ha il magico potere di indurre il bimbo a fare la cacca.

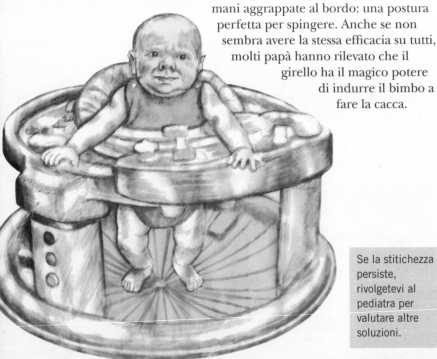

Se la stitichezza persiste, rivolgetevi al pediatra per valutare altre soluzioni.

Se un paio di anni fa qualcuno vi avesse detto che di lì a poco avreste fatto incetta di escrementi umani, conservandoli in casa per giorni prima di buttarli via, probabilmente l'avreste preso per un pazzo. Una cosa è certa, correre fuori ogni volta che il neonato riempie un pannolino è pressoché impossibile, e per questo molti genitori usano il "mangiapannolini". Solo che i modelli più diffusi sono ingombranti, costosi e richiedono appositi sacchetti di ricambio. E svuotare il bidoncino è un'operazione lugubre, che ricorda quella scena dello *Squalo* in cui aprono la pancia dell'animale morto e ne asportano le interiora.

Inoltre la plastica è permeabile al gas, quindi non trattiene la puzza. Come l'aria che sfugge da un palloncino, alla fine il fetore saturerà l'atmosfera e produrrà la tipica "puzza-di-casa-con-neonato", una combinazione di pannolini sporchi e deodoranti, spruzzati nel vano tentativo di coprire il tanfo.

Quando vostro figlio sarà più grande, e produrrà feci solide, potrete scaricarle nel wc, ma prima di allora usate vecchi sacchetti di plastica biodegradabile, per contribuire al riciclo. In questo modo eviterete di buttare nella discarica un altro ingombrante bidone di pannolini sporchi e i relativi sacchetti di ricambio e smorzerete il senso di colpa dovuto all'uso di pannolini usa e getta.

Fase 1
Appallottolate il pannolino sporco, chiudendolo con le fascette adesive.

Fase 2
Infilate la mano nel sacchetto (come fosse un guanto), poi prendete il pannolino.

Fase 3
Liberate la mano rovesciando il sacchetto, in modo che il pannolino resti dentro.

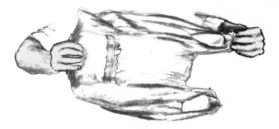

Fase 4

Schiacciando il pannolino
sul fondo, comprimete il
sacchetto per eliminare
tutta l'aria; avvolgete
la parte superiore del
sacchetto, così da ottenere
un altro sacchettino.

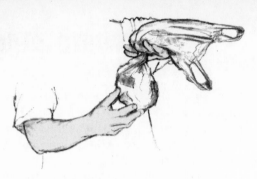

Fase 5

Infilate la mano nel tratto
di sacchetto libero e
ripiegatelo, in modo che
avvolga la parte inferiore,
contenente il pannolino.

Fase 6

Ripetete la Fase 4.

Fase 7

Fate un nodo al sacchetto.
Ora il pannolino è avvolto in
un doppio strato antiodore.
Ma ricordatevi che la plastica
è permeabile ai gas, quindi
procedete alla fase di...

... ELIMINAZIONE

Se ne avete la possibilità, mettete
un bidone della spazzatura sotto la
finestra della sua cameretta. Ogni volta
che dovrete eliminare un pannolino
sporco, non farete altro che aprire
la finestra e piazzare la bomba da tre
punti.

Una volta al giorno, potrete uscire
a raccogliere le palle fuori canestro
(ma vedrete che perfezionerete
rapidamente la mira). Nei giorni
prestabiliti, non farete altro che
aggiungere il bidone dei pannolini al
resto della spazzatura.

GIOCO A PINZA

L'acchiappapeluche da luna park, variazione sul tema

Intorno ai 4-6 mesi, i bambini cominciano ad afferrare gli oggetti. Ecco un sistema divertente per affinare le loro capacità. Mettete sul pavimento un mucchietto di giocattoli e prendete vostro figlio tenendolo a pancia in giù (vedi illustrazione). Fate finta di essere un robot e tenetelo sospeso sopra la catasta di giochi. Calatelo all'altezza giusta (piegando le ginocchia), aspettate cinque secondi e poi sollevatelo lentamente. Se riesce a pescare qualcosa, urlate "bravo!".

Questo esercizio serve a sviluppare la coordinazione oculo-manuale, ad acquisire la percezione della profondità e ad affinare le capacità motorie.

OMBRE CINESI

Stendetevi tenendo il bimbo nell'incavo del braccio e spegnete la luce. Accendete una torcia e puntatela sulla parete. Per le sagome degli animali, posto che non siate un esperto cultore delle ombre cinesi, potete usare un libro con le immagini in rilievo, i pupazzetti da vasca, le calamite da frigo ecc. Frapponete la sagoma tra la luce e la parete, avvicinandola e allontanandola per ingrandire o rimpicciolire l'immagine proiettata. Sbizzarritevi con i versi degli animali.

Questo esercizio serve a sviluppare la capacità di distinguere le immagini, acquisire la percezione della profondità, arricchire il linguaggio.

Se non riuscite a trovare delle sagome di animale, potete stamparle e ritagliarle da www.beprepared.net.

128

IL PICCOLO AERONAUTA

Legategli alla caviglia un palloncino a
elio, senza stringere troppo. Il bimbo
comincerà a fissarlo attentamente, e
probabilmente a eccitarsi. Inizierà così a
scalciare facendo muovere il palloncino.
Prima o poi, il piccolo aeronauta capirà
la relazione tra i suoi movimenti e quelli
del palloncino.

Questo esercizio serve ad aumentare
la coordinazione oculo-manuale,
ad affinare le capacità deduttive e a
sviluppare la consapevolezza del proprio
corpo.

*Durante questo esercizio, non lasciatelo
mai solo. E non usate mai palloncini di
gomma o lattice, i cui pezzettini potrebbero,
in caso di scoppio, costituire un pericolo di
soffocamento.*

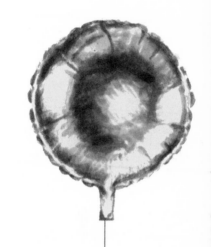

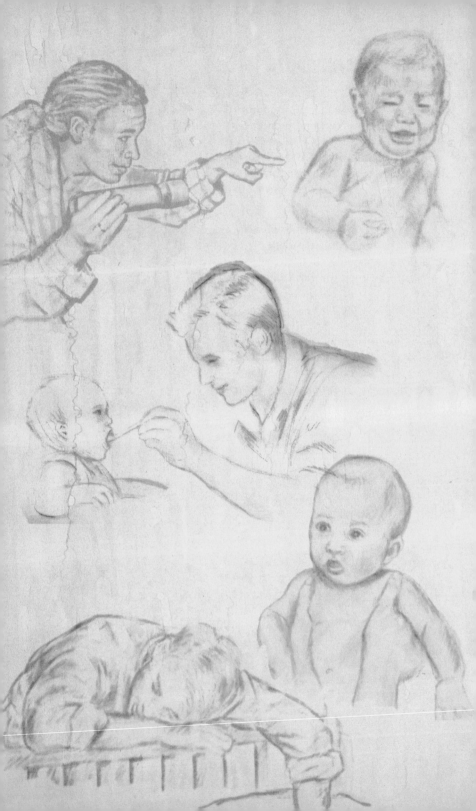

DORMIRE tutta la notte

Ora che il suo stomaco ha una maggior capacità, non avrà più bisogno delle poppate notturne, che costituivano la ragione principale per cui si svegliava. Quindi voi e la vostra partner potrete concedervi una notte filata di sonno, giusto? Purtroppo, no.

Molti bambini a questa età continuano a svegliarsi più volte durante la notte: in un recente studio della National Sleep Foundation, il 76% dei genitori ha riscontrato nei figli ricorrenti problemi legati al sonno. Se fate parte del 76%, ricordatevi che non siete da soli e se rientrate nel 24% non gongolate, o susciterete l'invidia degli altri genitori.

Elenchiamo qui di seguito quattro tecniche per aiutare il piccolo insonne ad addormentarsi e a dormire tante ore di seguito.

1. Il sergente di ferro

Se di giorno lavorate, e la madre resta a casa, è possibile che siate voi gli addetti alla nanna. Molti papà trovano questo compito ingrato, perché dopo aver trascorso otto ore lontani dal figlio preferirebbero strapazzarlo e magari improvvisare un match di lotta libera. Ma anche metterlo a nanna può essere divertente. Basta pensare a Mary Poppins! Non importa cosa escogiterete per farlo addormentare, l'importante è attenersi a pochi e semplici criteri:

1. Eseguire attività rilassanti.
2. Svolgere ogni sera le stesse attività, nello stesso ordine.
3. Lasciare per ultime le attività più soporifere, come la poppata dal biberon.

Ricordatevi che i bambini, come gli anziani, sono abitudinari, trovano rassicurante la routine e sono più inclini a collaborare quando sanno cosa li aspetta.

2. Una distesa di ciucci

Se vostro figlio è solito addormentarsi con il ciuccio, è facile che nel corso della notte lo perda e si svegli per cercarlo. Per risolvere il problema, spargete una bella quantità di ciucci lungo il perimetro

del letto. Ricordatevi di non lasciarli troppo vicini al volto del bimbo perché, girandosi, potrebbe finirci sopra e svegliarsi. Basta distribuirli lungo il bordo del lettino, così pian piano capirà che gli basta allungare una manina per prenderne uno.

Se in casa non avete almeno una decina di ciucci andate a caccia di guai, visto che, come i calzini e gli ombrelli, anche i ciucci fanno parte della categoria "Oggetti che svaniscono frequentemente nel nulla". Appena possibile, comprate uno stock di ciucci: non ve ne pentirete.

3. Saziatelo come si deve

Poco prima di metterlo a letto, fate bere al neonato tutto il latte
che desidera. Se a metà pasto dà segni di cedimento, scuotetelo con
delicatezza per vedere se ha voglia di mangiare ancora: quei pochi
decilitri in più potrebbero corrispondere a ore di riposo per voi. Prima
che crolli, cercate comunque di dargli almeno una spazzolata veloce ai
denti o un sorso d'acqua per sciacquargli la bocca.
I bimbi di questa età dedicano gran parte del tempo ad apprendere e
affinare nuove capacità e di giorno potrebbero essere poco interessati
al cibo: per questo il biberon serale è particolarmente importante.

4. Assecondate le sue fissazioni

Magari vostro figlio ha maturato un forte attaccamento per un oggetto
– una coperta, un peluche, una maglietta vostra o della mamma (per
via dell'odore) o un capo intimo (nonostante l'odore), soprattutto se
di seta. (Se la sua scelta è ricaduta su una T-shirt, fateci un nodo nel
mezzo, così che eviti di stendersela sul viso.)

L'entusiasmo infantile per questi "oggetti transizionali" in genere è
del tutto salutare, e utile al benessere della famiglia: abbracciare il suo
nuovo amico serve a tranquillizzarlo, rendendo più semplice metterlo a
letto, o allontanarsi dalla sua vista per qualche secondo.

Alcune cose da ricordare:

- Indirizzatelo verso un oggetto
  facilmente sostituibile, come un
  peluche di Winnie the Pooh,
  piuttosto che un introvabile
  stendardo dello scudetto del 1986.

- Provate a lasciare l'oggetto nel
  lettino, così quando si avvicina
  l'ora della nanna potrete
  sussurrare all'orecchio del
  bimbo: "Credo che Winnie the
  Pooh ti stia aspettando".

- Se la scelta ricade su un prodotto
  che si trova dappertutto, andate
  in un negozio e fatevene una
  scorta. In questo modo eviterete
  di trascorrere la serata in macchina,
  perlustrando le strade alla ricerca di
  un Barbapapà.

Se vostro figlio si affeziona
a un oggetto, fatevene una
scorta.

IL METODO ESTIVILL

Fare addormentare un neonato con il metodo Estivill richiede una certa dose di coraggio. Dovrete infatti lasciare il bimbo nel lettino, anche se piange, per intervalli piuttosto lunghi, mentre voi aspetterete in corridoio stringendo i denti.

Se questo metodo non funzionasse, nessuno lo adotterebbe. Tanti genitori ne hanno invece confermato l'efficacia, spiegando che adesso loro figlio dorme tutta la notte. Considerate, però, che per molti genitori sentir piangere il proprio bambino senza intervenire è una sofferenza inaudita.

Se siete decisi a intraprendere questa strada, aspettate che il bimbo abbia compiuto sei mesi. Ecco come fare:

1. mettetelo a letto quando è appisolato, ma non del tutto addormentato;

2. uscite dalla sua cameretta;

3. attendete cinque minuti – non importa se piange;

4. rientrate in camera, ma senza prenderlo in braccio. Limitatevi a posargli una mano sul petto, o a parlargli dolcemente per qualche secondo. Assicuratevi che non vi scambi per il gemello cattivo di papà;

5. uscite dalla stanza;

6. aspettate altri cinque minuti;

7. ripetete la procedura finché non si addormenta;

8. il giorno seguente fate la stessa cosa, ma prolungate di cinque minuti i tempi di attesa fuori dalla stanza.

Nel giro di 3-5 giorni dovrebbe riuscire ad addormentarsi da solo o a riaddormentarsi se dovesse svegliarsi nel cuore della notte.

Alcune cose da ricordare prima di sperimentare questa tecnica:

- è possibile che spetti a voi testare il metodo Estivill, soprattutto se la mamma allatta. Il pianto potrebbe innescare la fuoriuscita del latte. Così mentre lei si ritirerà in cantina con i tappi nelle orecchie, voi farete sfoggio del vostro sangue freddo;

- sebbene vostro figlio sia capace di piangere in maniera indescrivibile (talvolta fino a vomitare), ogni pediatra vi confermerà che piangere in certe circostanze non determina danni emotivi a lungo termine. Anzi, sarete gli unici ad avere gli incubi ripensando a quelle nottate;

- il metodo Estivill non funziona con tutti i bambini: se entro una decina di giorni non ottenete risultati, è meglio tentare qualcos'altro;

- anche se in situazioni normali il metodo funziona, potrebbe non essere efficace in caso di malattia, dentizione, nonni in visita, e svariati altri fattori esterni, fuori dal vostro controllo. In tal caso, dovrete ricominciare tutto da capo.

Per ulteriori informazioni, si consiglia caldamente la lettura di Fate la Nanna *di Eduard Estivill e Silvia De Béja.*

E quando si sveglia alle quattro del mattino?

Cosa fate se il pianto di vostro figlio vi sveglia nel cuore della notte? La maggior parte dei papà fingerà di non sentire, sperando che ci pensi la mamma. Ma la vostra partner userà la stessa tattica. Non ci crederete, ma state entrambi facendo la cosa giusta. Il modo migliore per superare una crisi di pianto notturna, in un bimbo tra i sette e i nove mesi, è aspettare che si riaddormenti da solo.

Vi sembrerà strano, ma spesso i bambini sperimentano le capacità appena acquisite proprio mentre sono a letto, semiaddormentati. Ma guardatelo, il piccolo ginnasta semicosciente che tenta di gattonare nel lettino – una specie di Cirque de Bébé, per così dire. Magari piange, borbotta, piagnucola e poi finisce per riaddormentarsi. Quindi aspettate un paio di minuti, prima di entrare nella stanza. (Se invece il pianto indica dolore o angoscia, andate subito a controllare, naturalmente.)

Dopo essere entrati:

- Accendete una luce tenue. Se non disponete di una lucina antibuio, mettete pure una lampadina rossa nella lampada da comodino, in modo da vedere quel che succede mantenendo la stanza nell'oscurità.

- Non sorridete, non fate un'espressione accigliata né guardatelo negli occhi; agite con la massima flemma possibile (non dovrebbe essere difficile, viste le circostanze).

- Se si sveglia e chiede il biberon, potrebbe farlo solo per una questione di abitudine. Dategli un biberon pieno d'acqua – entro un paio di notti dovrebbe smettere di chiedervelo.

Mettendo una lampadina rossa nella sua lampada da comodino riuscirete a osservare la situazione senza dargli l'impressione che sia ora di alzarsi. Per non parlare del formidabile effetto da bordello d'altri tempi.

INIZIA a muoversi

Vedere il proprio figlio gattonare è motivo di grande orgoglio per un papà. Di punto in bianco, il bimbo diventa padrone del suo destino e può andare ovunque desideri. In parole povere, si è munito delle sue prime ruote.

Ruote che non sempre funzionano alla perfezione. Se molti bimbi gattonano adottando il sistema standard, altri scelgono metodi alternativi, spesso eterodossi. Qualcuno striscia sulla pancia, altri trascinano il sedere, altri ancora si limitano a rotolare da un posto all'altro. Se vostro figlio rientra tra gli alternativi, non preoccupatevi. La tecnica non è importante – quello che conta è che stia imparando a muoversi.

La maggior parte dei bambini impara a gattonare tra i sei e i dieci mesi, e in genere entro l'anno tutti hanno acquisito un minimo di mobilità. Quando inizia a puntare le mani e le ginocchia per tirarsi su, oscillando avanti e indietro, è pronto a spiccare il volo. Per aiutarlo:

- mostrategli come si gattona;

- fategli puntare i piedi sulle vostre mani, affinché faccia forza e si spinga in avanti;

- spostate uno dei suoi giochi preferiti ed esortatelo a recuperarlo;

- proteggetegli le ginocchia dagli urti e dalle irritazioni da attrito (potete tagliare la punta a un paio di vecchi calzini e infilarglieli come ginocchiere).

Quando vi accorgete che è sulla buona strada per gattonare, potrete allestire un percorso a ostacoli usando cuscini, elenchi telefonici, scatole da scarpe, per fargli acquisire maggiore agilità e disinvoltura.

I migliori gattonatori vantano velocità superiori ai 3 km/h e possono percorrere fino a 250 metri al giorno (il chilometraggio paterno è variabile).

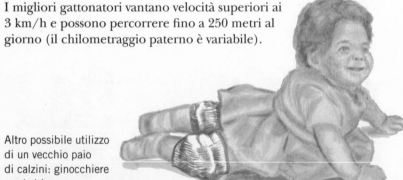

Altro possibile utilizzo di un vecchio paio di calzini: ginocchiere per bebè.

138

Vostro figlio può gattonare in modi diversi:

Il passo militare

Striscia sulla pancia facendo leva su gomiti e ginocchia.

Il passo della scimmia

Cammina a quattro zampe con la schiena sollevata, spingendosi in avanti con le mani e i piedi.

Spingi e scivola

Partendo da seduto, fa leva sulle mani per trascinare in avanti il sedere.

A rotoloni

Partendo da sdraiato, avanza rotolando su se stesso – raccogliendo briciole e batuffoli di polvere lungo il tragitto.

Passo da ballerino di breakdance

Una gamba protesa verso l'esterno, l'altra sotto di sé, tende a muoversi in cerchio.

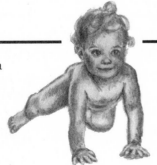

Quando vostro figlio inizierà a gattonare, tenderà a ignorare l'istinto di sopravvivenza e sarà invece più incline all'autodistruzione. Se vedrà una scala, vi si scapicollerà senza esitazione; se vedrà una presa elettrica, tenterà di ficcarci dentro qualsiasi cosa; e se vedrà un qualsiasi tipo di contenitore con dell'acqua, tenterà di tuffarcisi dentro a testa in giù. Neanche stesse facendo i provini per *L'Isola dei famosi*.

Solitamente i lavori di casa spettano a voi. Dovrete, quindi, rendere il vostro appartamento uno spazio a prova di bebè.

Vediamo da dove iniziare:

1. prendete una matita e un bloc notes;

2. mettevi a quattro zampe;

3. gattonate per tutta la casa, immaginando tutti i modi possibili per farvi male e annotateli sul blocco. E non tentate di fregare: strisciate sotto i tavoli e dietro le tende, altrimenti vi sfuggiranno pericoli come chiodi sporgenti, monetine sparse, chiusure a scatto pericolose per le dita.

Se non siete tipi da gattonata, e avete soldi da spendere, potete anche pagare un professionista che sbrighi il lavoro per voi. Occhio, però: tenderà a dirvi che casa vostra è una trappola mortale e che vostro figlio non ha possibilità di scampo – a meno che non compriate tutti i dispositivi che guarda caso si trovano nel bagagliaio della sua auto.

Cercate di non esagerare, però. Se trasformate l'intera casa in un immenso parco giochi, per vostro figlio sarà difficile imparare a tutelarsi, specie quando vi troverete a casa di altri o in qualche negozio.

In realtà, per quanti dispositivi installate, dovrete sempre tenerlo d'occhio. Il giorno che abbasserete la guardia, vostro figlio potrebbe cercare di inghiottire il fermaporta.

Se una volta lette le pagine che seguono, vorrete approfondire ulteriormente il tema, potete consultare la guida *Sicurezza domestica – Progetto BAMBINI SICURI* di Saba L., Surrenti G. e Papetti R. scaricabile dal sito http://e-ms.cilea.it, o semplicemente recarvi nel negozio più vicino di articoli per bambino ed esaminare l'infinita gamma di prodotti per la sicurezza.

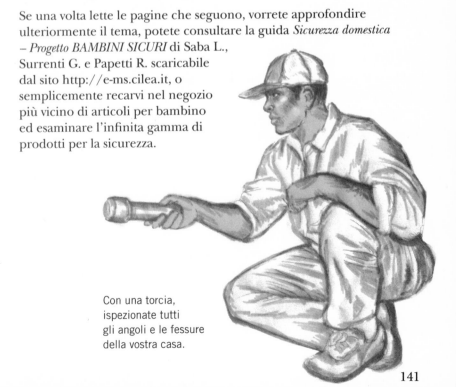

Con una torcia, ispezionate tutti gli angoli e le fessure della vostra casa.

In quanti modi potrebbe farsi male in...

Vostro figlio potrebbe:

infilarsi nel caminetto. *Montare una chiusura a pannelli;*

farsi cadere addosso gli utensili del caminetto, o metterseli in bocca. *Spostare fuori dalla sua portata;*

urtare contro gli spigoli del tavolino di cristallo. *Ricoprire il bordo con una protezione di gomma;*

inghiottire le caramelle nella ciotola. *Spostare fuori dalla sua portata;*

mettersi in bocca la terra del vaso. *Coprirla con una retina;*

farsi cadere addosso la scultura. *Spostare fuori dalla sua portata;*

ingerire qualche foglia della pianta, che potrebbe essere velenosa. *Tenere le piante fuori dalla sua portata, conoscere la specie di tutte, sapere quali sono velenose;*

azionare per sbaglio il lettore dvd. *Coprirlo con una protezione di plastica;*

sbattere la testa contro gli spigoli dei due tavolini quadrati. *Montare dei coprispigolo;*

soggiorno?

staccare le manopoline dallo stereo e ingoiarle. *Coprirle con una
protezione di plastica;*

farsi cadere addosso le casse acustiche. *Fissarle, o spostare fuori dalla sua
portata;*

sbattere la faccia contro la porta a vetri. *Segnalarla applicando degli
adesivi;*

impigliarsi nelle corde delle tende. *Raccoglierle insieme e spostare fuori
dalla sua portata;*

far cadere il bicchiere di vino e tagliarsi con i pezzi di vetro. *Spostare
fuori dalla sua portata;*

urtare la lampada a stelo. *Fissarla al muro;*

impigliarsi nel filo della lampada. *Avvolgerlo e raccoglierlo;*

introdurre qualcosa nella presa. *Coprirla con una protezione;*

cadere e battere la testa contro la base del caminetto. *Ricoprirla con un
cuscinetto di protezione.*

In quanti modi potrebbe **farsi male** in...

Vostro figlio potrebbe:

raggiungere il ripiano e versarsi addosso il caffè bollente. *Spostare fuori dalla sua portata;*

riuscire a toccare i fornelli, o farsi cadere addosso la pentola. *Usare sempre i fornelli posteriori e rivolgere verso l'interno il manico delle pentole;*

girare le manopole e aprire il gas. *Montare un blocco o una copertura di protezione;*

aprire lo sportello del forno. *Montare una chiusura di sicurezza;*

aprire il mobiletto sotto il lavandino e raggiungere i prodotti detergenti. *Montare una chiusura di sicurezza;*

inghiottire le calamite da frigo. *Toglierle, o spostarle a distanza di sicurezza;*

farsi cadere addosso la sedia. *Spingere sotto il tavolo tutte le sedie;*

impigliarsi nel filo del telefono. *Usare un raccoglicavo;*

cucina?

cercare di mangiare dal cestino della spazzatura. *Chiudere il cestino dentro il mobiletto;*

tirare giù la tovaglia e farsi cadere addosso il bicchiere e la ciotola. *Usate le tovagliette americane;*

aprire la lavastoviglie, cercare di tirarne fuori il contenuto o di ingerire il detersivo. *Montate una chiusura di sicurezza;*

prendere del cibo dalla ciotola del cane, o infilare la testa in quella dell'acqua. *Tenere lontano dalla sua portata. (E fare altrettanto con la lettiera.)*

Visto che generalmente la cucina è l'ambiente più difficile da mettere in sicurezza, potete sempre montare un cancelletto all'ingresso della stanza per sbarrargli l'accesso.

In quanti modi potrebbe farsi male in...

Vostro figlio potrebbe:

chiudersi le dita nella porta. *Lasciate un asciugamano a bloccare la porta;*

spingere la maniglia e chiudersi in bagno. *Coprire la maniglia con un coperchio;*

sollevare il coperchio e finire nel wc. *Montare una chiusura di sicurezza;*

aprire il mobiletto sotto il lavandino e raggiungere i prodotti all'interno. *Montare una chiusura di sicurezza;*

mangiare il dentifricio, che per i lattanti può essere nocivo. *Spostare fuori dalla sua portata;*

far cadere il phon nel lavandino, o nel wc, o impigliarsi nel filo. *Spostare fuori dalla sua portata;*

scivolare e battere la testa contro il bordo della vasca. *Mettere un tappetino antiscivolo. (Applicare degli antiscivolo anche dentro la vasca;)*

146

bagno?

sbattere la testa contro il rubinetto della vasca. *Applicare un coprirubinetto;*

aprire la manopola dell'acqua calda e scottarsi. *Applicare un blocco alla manopola dell'acqua calda, o impostare la temperatura su 50°, o installare un limitatore di temperatura;*

mettersi in bocca il rasoio o cercare di ingerire lo shampoo sul bordo della vasca. *Appoggiare su una mensolina fuori dalla sua portata;*

affogare nell'acqua rimasta nella vasca, per quanto sia poca. *Svuotare sempre la vasca.*

Per sbarrargli del tutto l'accesso, potete montare una chiusura a occhiello all'esterno della porta.

ASPETTATE, PERÒ: NON È FINITA

Studio

- Fissate il monitor per evitare che il piccolo genio se lo tiri addosso.

- Raccogliete tutti i cavi in una protezione tubolare, così che eviti di mordicchiarli, e installate una presa contro gli sbalzi di tensione.

- Proteggete il computer con un dispositivo di sicurezza per evitare che infili una sottiletta in qualche fessura, o lo spenga prima che abbiate salvato la vostra relazione.

- Mettete i libri e i cd sugli scaffali a parete.

- I cestini dei rifiuti contenenti graffette o altri oggetti pericolosi devono essere chiusi, o collocati in posizione inaccessibile al piccolo rovistatore.

Scale

- Montate un cancelletto alle due estremità di ogni scala.

- Ogni tanto, aprite il cancelletto e lasciatelo arrampicare (reggendolo) sui primi gradini. Metteteci una striscia di moquette o una passatoia perché non scivoli.

- Per scendere le scale gattonando, dovrebbe procedere all'indietro, operazione contraria ai suoi istinti autolesionistici. Perciò, per farlo scendere, dovrete aspettare che sia capace di stare in piedi e dovrete sorvegliarlo con estrema attenzione. Potreste pensare di mettergli anche un caschetto.

Occhio ai cancelletti

Molti genitori trascorrono gran parte del tempo a casa a scavalcare cancelletti. Rispondere al telefono sarà come partecipare a una gara dei 110 metri a ostacoli. State molto attenti quando superate queste barriere, soprattutto con il bambino in braccio. Tutti i genitori, almeno una volta, hanno rischiato di rompersi una gamba per aver calcolato male le distanze.

Giocattoli

- Assicuratevi che tutti i giocattoli siano resistenti e privi di parti che potrebbero spezzarsi.

- Esaminate gli occhi dei peluche: controllate che vostro figlio non possa staccarli e inghiottirli.

- Se temete che qualcosa sia troppo piccolo perché ci possa giocare in sicurezza, usate il tubo di cartone della carta igienica per misurarlo: se l'oggetto passa dal tubo, il bimbo potrebbe ingoiarlo. (A proposito: non fatelo giocare con il tubo della carta ignienica perché potrebbe staccarne e inghiottirne dei pezzettini.)

← 4,5 cm →

Questo è il diametro del tubo della carta igienica. Se non ne avete uno sottomano, usate questo valore come riferimento.

Sicurezza generale

- Controllate che in casa non siano state usate vernici al piombo.

- Accertatevi che tutti i prodotti velenosi siano chiusi a chiave fuori dalla sua portata.

- Dotate la casa di un allarme antifumo, di estintori e di una scala a scomparsa per evacuare facilmente dalle finestre del primo piano.

- Tenete sempre sottomano tutti i numeri telefonici dei servizi di emergenza; frequentate un corso di primo soccorso e rianimazione cardiopolmonare neonatale.

- Non lasciate mai vostro figlio incustodito.

Se tutto questo vi sembra superiore alle vostre capacità, potete sempre rinchiuderlo in una campana di vetro fino alla maggiore età. Ma attenzione, anche in questo caso rischia il soffocamento.

Lo schermo infernale

Concedetegli qualche pausa
davanti alla tv.

Si può far vedere la televisione ai bambini piccoli? Mentre alcuni papà si oppongono fermamente all'uso della tv, la maggior parte approva qualsiasi cosa che dia loro modo di farsi una doccia in pace.

Gli studi non sono giunti a delle conclusioni definitive sul tema, perché è troppo complicato psicanalizzare un paziente di sette mesi. Tuttavia, qualche anno fa, la AAP (American Academy of Pediatrics) pubblicò un documento in cui si sconsigliava vivamente l'uso della televisione per i bambini al di sotto dei due anni, basandosi sul presupposto che "i neonati e i bambini poco più grandi necessitano essenzialmente di un'interazione diretta con i genitori e le altre figure di riferimento".

Ma di quanta interazione diretta necessita realmente un bimbo? Non che uno debba sparire per un intero week-end, mollando il figlioletto davanti alla tv con il biberon in mano – ma dopo qualche ora di interazione diretta con il papà, che male può fargli una mezz'oretta di televisione?

ECCO OTTO OBIEZIONI sollevate dal fronte anti-televisione, seguite dalla replica dei moderati (suona meglio del fronte pro-televisione).

1. Ai neonati la tv non insegna niente.
Spesso attraverso la televisione i bambini apprendono canzoni, parole, gesti (come applaudire o salutare con la mano). E a parte questo, è proprio indispensabile che un neonato impari qualcosa in ogni momento della sua giornata? Non ha diritto anche lui a qualche momento di relax?

2. La televisione è dannosa per gli occhi dei neonati.
Questa tesi non ha un riscontro scientifico. Anzi, certi pediatri raccomandano la televisione per favorire lo sviluppo dei muscoli oculari. In particolare, nelle trasmissioni sportive le telecamere tendono a seguire un corpo (una palla, un'auto, un atleta) in movimento, sollecitando i muscoli oculari e la capacità di mettere a fuoco del neonato. (Fatelo presente a vostra moglie la prossima volta che vi chiederà di cambiare canale quando c'è la partita.)

3. La televisione dà un'idea distorta della realtà.
E i libri no? Avete letto *Il bosco magico* di recente? La verità è che a quest'età, e per un bel pezzo ancora, il concetto di realtà non ha alcun senso per i bambini.

4. Il tempo speso dal bambino davanti alla televisione è tempo che il genitore potrebbe trascorrere giocando con lui.
Ma è anche del tempo che il papà potrebbe usare per farsi un bagno, mangiare qualcosa, vuotarsi la mente e ritornare, più tonico e pimpante, per una nuova ed entusiasmante sessione di bu bu settete.

5. La rapidità con cui scorrono le immagini e i bruschi cambiamenti di inquadratura sono sovreccitanti per un neonato.
Molti programmi destinati alla prima infanzia hanno un andamento più lento e cambi di inquadratura più graduali. Tra le altre trasmissioni, alcuni programmi più statici, come quelli sulla pesca o le previsioni del tempo, possono essere adatti anche ai bambini.

6. Ai bambini bisognerebbe leggere più che fargli guardare la tv.
È vero: la televisione non può sostituire la lettura, né il gioco, né il bagnetto, né la pappa. Usata con moderazione, la televisione va intesa semplicemente come una piacevole integrazione alle normali attività quotidiane.

7. Vostro figlio finirà per essere ipnotizzato dal demonio della televisione e diventerà un teledipendente a vita.
In realtà, a molti bimbi la televisione non interessa proprio. E anche coloro che ne sono incuriositi, normalmente, dividono l'attenzione tra lo schermo e tutte le altre forme colorate e affascinanti presenti nella stanza.

8. In quei momenti vostro figlio potrebbe fare cose più creative.
Crescendo, vostro figlio avrà la possibilità di dedicarsi ad attività assai più creative e coinvolgenti della televisione. In questi primi mesi, però, le attività alla sua portata sono poche. È poco probabile che abbia voglia di montare un modellino di aeroplano o che voglia darvi una mano con la dichiarazione dei redditi – diciamo che guardare la televisione è più nelle sue corde.

Qualche personaggio e qualche serie di qualità dedicati alla prima infanzia:

Baby Bach
Baby Mozart
Baby Van Gogh
Barbapapà
Gioca con Sesamo (con i Muppets)
La Pimpa
Pingu
Teletubbies
Winnie the Pooh

I giovani spettatori sembrano apprezzare anche Barney il dinosauro, mentre molti papà non lo reggono proprio.

Alla scoperta del MONDO
(7-9 mesi)

Il piccolo inizia a gradire la vita mondana, desidera condividere le vostre amicizie e sta entrando in una fase in cui non starà fermo un attimo. Tra le uscite più apprezzate dai bambini di questa età vi segnaliamo:

Ippodromo

Un passatempo divertente sia per voi che per il bimbo. Potete scegliere il cavallo da acclamare, ridurre in coriandoli il biglietto e farglieli spargere per aria. Meglio andarci in un giorno feriale, per evitare la calca. Attenzione, però: solo perché vostro figlio ama le corse dei cavalli, non significa che ami anche le scommesse clandestine!

Libreria

Le librerie sono perfette per i bambini piccoli: offrono gli stessi vantaggi di una biblioteca, ma senza l'obbligo di fare silenzio. Spesso hanno il pavimento rivestito di moquette, l'ideale per i gattonatori alle prime armi. E non dimentichiamoci dei libri.

Autolavaggio

Gli spruzzi d'acqua e le spazzole rotanti dell'autolavaggio rappresenteranno un'eccellente esperienza sensoriale. Prima di entrare, però, spiegategli che sarà una cosa divertente e del tutto sicura per entrambi: "Vedi? Ora la macchina fa il bagnetto".

Lavanderia a gettoni

Anche se a casa avete la lavatrice, portate un po' di biancheria sporca in una lavanderia a gettoni, tanto per sedervi e guardare con lui i vestiti dentro l'oblò. Fatelo giocare sui ripiani per piegare i vestiti; chiacchierate con gli altri clienti; usate un lenzuolo per trasformare un carrellino in un veliero e metteteci dentro vostro figlio (tenendolo, ovviamente) per fargli navigare i sette mari.

Aree per cani

Entrare con un bimbo nelle aree destinate ai cani non è una grande idea; ma restare fuori dal recinto a guardare può essere comunque interessante per lui. Alcune di queste aree prevedono degli appositi spazi per animali di piccola taglia, dove invece potete entrare in sicurezza e fargli ammirare da vicino i cagnolini più piccoli.

SVILUPPARE le sue capacità
(7-9 mesi)

Il gioco delle tre carte

La vecchia truffa da strada, in una variante per bambini. Voi siete il truffatore, lui la vittima. Cominciate con tre tazze grandi e una pallina (o un pupazzetto). Sollevate tutte le tazze per fargli vedere dove si trova l'oggetto, quindi riabbassatele. Se sceglie la tazza giusta, vince. Quando inizia a vincere con regolarità, provate a cambiare lentamente la posizione delle tazze.

Contribuisce a potenziare la memoria visiva, a sviluppare l'attitudine a risolvere i problemi e a familiarizzare con l'idea che un oggetto può esistere anche se non lo vede.

Arti culinarie

Utili per stimolare le sue capacità artistiche e, nello stesso tempo, proporgli nuovi alimenti. Riempite diversi contenitori di plastica con pappe di vari colori, quindi poneteli davanti a vostro figlio e lasciatelo pasticciare con le dita sul ripiano del seggiolone o il tavolo della cucina. Tra gli alimenti più indicati: mele, prugne, fagiolini e, per la consistenza, i tortini di riso con la verdura. Con questi ingredienti il bimbo può creare dei capolavori astratti e poi mangiarseli in sicurezza. (Potete anche mettere del purè di patate in quattro ciotole, aggiungendovi poi dei coloranti vegetali per alimenti.)

È consigliabile proporre questo gioco prima del bagnetto.

Contribuisce a sviluppare la creatività, affinare la capacità motoria e migliorare la coordinazione oculo-manuale.

Il treno-cestino

Fatelo accomodare in un cesto della biancheria, con una coperta o un cuscino per appoggiare la schiena. Riempite il cesto con peluche e giocattoli e spingetelo in giro per la casa facendo ciuf-ciuf. Lungo il percorso, annuncerete le varie stazioni, fermandovi via via per depositare qualche "passeggero" e caricarne a bordo di nuovi. A un certo punto, il bimbo riuscirà a prevedere la fermata successiva, dove potrà scaricare qualche pupazzetto e invitarne di nuovi a salire sul suo treno. Per voi questo esercizio sarà abbastanza faticoso, ma confidiamo nell'energia che vostro figlio riuscirà a infondervi grazie al suo entusiasmo.

Per non mettere a dura prova la schiena, potete usare un guinzaglio e trainare lentamente il cesto in giro per la stanza.

Contribuisce a sviluppare il pensiero sequenziale e a sapersi immedesimare in personaggi e situazioni di fantasia.

Non c'è bisogno di ricorrere a un test di paternità: per un po', vostro figlio potrebbe chiamare "pa-pa" tutti i maschi adulti che incontra.

Nelle ultime settimane, vi sarete forse accorti che vostro figlio appare più interessato a quello che dite. Un paio di mesi fa, se gli aveste spiegato la regola del fuorigioco, vi avrebbe guardato con occhio spento, mentre adesso i banchi di nebbia che offuscavano il suo sguardo sembrano aver ceduto il posto a un'espressione meravigliosamente perplessa. Si sta addentrando nei meandri del linguaggio, e voi avrete il privilegio di guidarlo in questo viaggio straordinario e spesso esilarante.

Mediamente, i bambini pronunciano le prime parole tra i 7 e gli 11 mesi. Probabilmente il vostro marmocchio avrà già cominciato a parlottare, forse sarà perfino in grado di dire "pa-pa", con grande disappunto della mamma. Non confessatelo alla vostra partner, ma il bisillabo "pa-pa" è uno dei fonemi più comuni della lallazione e il bimbo potrebbe pronunciarlo davanti a voi come di fronte al vostro cane. Per essere certi che vostro figlio abbia pronunciato la sua prima vera parola, l'espressione deve essere ripetuta almeno tre volte all'interno di un contesto. Vale a dire che finché non dice tre volte "pa-pa" guardando una vostra foto, non vale. E se attacca a chiamare "pa-pa" tutti i maschi adulti non preoccupatevi: i bimbi apprendono per categorie.

159

Aspirapolvere

Cane

Furgone

Disco

Cetriolino

Occhiali buffi

I neonati sono in grado di comprendere molto prima di iniziare a parlare, anche perché il loro apparato vocale si deve ancora sviluppare del tutto e non sarà simile a quello di un adulto prima dei sei anni.

Con i seguenti esercizi, potete aiutarlo a parlare e a comprendere il linguaggio:

Avviate la conversazione

Quando lo sentite parlottare, unitevi a lui, come se capiste quello che dice. Dopo che vi avrà inondato di sillabe, dite: "Giuuuusto, hai ragione, ma questo come si ripercuoterà sui mercati extraeuropei?". Poi attendete la risposta. Ben presto si renderà conto che una vera conversazione è fatta di scambi. Ricordatevi sempre di elogiare i suoi borbottii – per quanto finanziariamente discutibili.

Il gioco dei nomi

Prendete l'abitudine di girare per casa con lui, pronunciando il nome di tutto quello che vi circonda. Una sorta di esercizio passivo-aggressivo. "Vedi? Questa è una chitarra. Chi-tar-ra. Una volta papà la suonava tutti i giorni – prima che arrivassi tu. E questi sono i Rollerblades. Rol-ler-blades. Una volta papà li usava tutti i giorni – prima che arrivassi tu." Continuate pure a sorridere... tanto non è ancora in grado di capire quello che dite.

Quando indicate un oggetto con un nome, cercate di non essere troppo specifici, né troppo generici: una chitarra è una chitarra, non uno strumento (generico) né una Fender Stratocaster (specifico).

Ditelo in rima

Gli studi confermano che l'uso di ritmi e rime semplici aiutano i bambini a imparare a parlare. Provate a recitare qualche filastrocca, enfatizzando le sillabe in rima. Quando vi sarete stufati, passate alle vostre canzoni preferite, o improvvisate qualche rima scherzosa. Ma resistete alla tentazione di cantare *Nella Vecchia fattoria*, perché prima o poi il piccolo potrebbe iniziare a ripetere le cose.

Applaudite a ogni esibizione

Quando indica il cagnolino dicendo "pa-pa", ostentate entusiasmo. Sta cominciando ad abbinare i nomi alle cose, e ha bisogno di incoraggiamento. Dite: "Sì, è un cane. Ca-ne. Bravissimo!".

Libri da divorare

I libri interattivi (tridimensionali, a finestrelle, con inserti di materiali diversi) non servono solo ad arricchire il suo vocabolario, ma anche a migliorare il coordinamento oculo-manuale e ad affinare le abilità motorie.

E ricordatevi, non esistono regole quando leggete con un bambino. Che rilegga lo stesso libro all'infinito, che giri ogni pagina avanti e indietro cento volte, che mangiucchi un libro mentre voi gliene leggete un altro, va tutto bene purché si diverta. Cercate solo di rilassarvi, apprezzando il suo precoce interesse per la letteratura.

Questa è una tecnica a prova di bomba per fargli scattare la passione per la lettura. Ritagliate qualche foto vostra o di amici e parenti e appiccicatele su una delle tante raccolte di fiabe per la buona notte che vi saranno state regalate. Poi leggete la storia adattando le parole alle immagini: "Buona notte casa; buona notte topolino; buona notte papà Marco; buona notte nonno Luigi".

Il segreto di BU BU SETTETE

La mente del bimbo opera per vie traverse e inesplicabili. Quando uscite dal suo campo visivo, ad esempio, lui è convinto che non esistiate più. Davvero! E per qualche ragione, questo non lo turba. Vostro figlio continua a giocare, o a fissare il vuoto finché voi non riapparite miracolosamente. Ogni giocattolo che fa cadere, ogni ciuccio che lancia, ogni persona che esce dalla sua vista per lui cessa di esistere.

Nei prossimi mesi, invece, inizierà a prendere forma in lui il concetto di permanenza degli oggetti, il fatto cioè che qualcosa può esistere anche se lui non lo vede. Per aiutarlo a maturare questa consapevolezza, potete:

- giocare a bu bu settete;
- coprire un giocattolo con un tovagliolo, che lui dovrà sollevare;
- indicargli, prima di raccoglierlo, l'oggetto che ha appena buttato a terra.

Tenete a mente che in questa fase – in cui inizia a capire che il suo papà si trova sempre da qualche parte, ed è sempre raggiungibile – si agiterà tutte le volte che uscirete dalla stanza.

Quando vi vede fare bu bu settete, vostro figlio è convinto che la vostra testa scompaia, e che poi riappaia quando riaprite le mani. Non c'è da stupirsi che questo giochino lo colpisca tanto.

Gestire l'ansia del bimbo

Perché vostro figlio non dovrebbe soffrire d'ansia come tutti gli altri? L'acquisizione del concetto di permanenza degli oggetti è accompagnata dall'**ansia da separazione**, il timore per l'allontanamento dai genitori, e dall'**ansia da estranei**, dove per "estranei" si intende qualsiasi persona diversa dai genitori.

Di seguito, alcune tecniche per aiutarlo a contenere le sue ansie:

* Invitate le persone che sono venute a trovarvi (inclusi i parenti stretti) ad accostarsi al piccolo lentamente, in silenzio, senza fare gesti improvvisi – come ci si avvicinerebbe a una granata inesplosa, o a un maniaco omicida.

* Se avete una nuova baby-sitter o il bimbo ha appena iniziato l'asilo nido, per le prime due o tre volte rimanete con lui e fatevi vedere mentre vi intrattenete tranquillamente con le persone che si dovranno occupare di lui.

* I bambini piccoli, come i cani, non hanno il senso del tempo. Le prime volte che lo lasciate solo o con altre persone, tornate da lui entro una ventina di minuti, tanto per confermargli che non state abbandonando il paese.

* Non andatevene mai alla chetichella – non fareste altro che acuire la sua ansia. Al contrario, guardatelo negli occhi, sorridete e fategli capire che è una cosa da niente. E non tornate MAI indietro dopo essere usciti. Al massimo, dopo una decina di minuti, chiamate a casa per sincerarvi che abbia smesso di piangere.

Che ci crediate o no, per un bimbo sviluppare l'ansia da estranei e da separazione è un fatto positivo. Significa che avete fatto un buon lavoro da genitore e che vostro figlio ricerca in voi sicurezza e protezione.

IL BAGNO, quello vero

Non appena la vaschetta da neonato diventa troppo piccola, è tempo di passare all'ultraspaziosa vasca da bagno. Inizialmente, il bimbo potrebbe nutrire qualche perplessità per un ambiente così vasto. Per aiutarlo a familiarizzare con quello spazio nuovo, le prime volte mettetelo nella vasca senz'acqua ed entrateci anche voi: portatevi una manciata di giocattoli e mostrategli come si può giocare lì dentro.

Una volta che si è ambientato, è possibile che non abbia nessuna intenzione di uscire. Ma il papà preparato volgerà la cosa a proprio vantaggio: la vasca da bagno è perfetta per farlo mangiare, dargli le medicine, tagliargli le unghie.

Preparazione del bagno

1. Posate sul fondo della vasca un rivestimento antiscivolo.

2. Ricoprite il rubinetto con una protezione morbida, nel caso vi sbatta la testa. Potete acquistarne una, o improvvisarla voi stessi con una spugna e del nastro adesivo.

3. Riempite la vasca per una decina di centimetri. Provate l'acqua con il gomito – ricordatevi che la temperatura deve essere leggermente inferiore a quella che andrebbe bene per un adulto.

4. Tenete a portata di mano tutto quel che vi serve, in particolare una tazza di plastica, sapone e shampoo per neonati, una salvietta e un asciugamano.

Dentro anche voi!

Per giocare con vostro figlio, non c'è occasione migliore che fare il bagno insieme a lui. Perché starsene chini sul bordo della vasca, quando il bello avviene dentro? Non soltanto il bimbo rimarrà estasiato dalle vostre dissertazioni sulla dinamica dei fluidi, ma stando dentro la vasca con il papà si sentirà più tranquillo e protetto.

Prima ancora di bagnarvi i piedi, siate pronti a:

Metterlo e toglierlo dalla vasca. Il modo più sicuro per procedere è quello di coprire il materassino del fasciatoio con un asciugamano; mettere il materassino sul pavimento; depositarvi sopra il bimbo; entrare nella vasca da soli e sedersi; restando seduti, prendere il piccolo e mettetelo dentro. Una volta finito, adagiatelo di nuovo sul materassino, uscite e prendetelo in braccio.

Durante il bagno. È probabile che a un certo punto il piccolo sganci un siluro. In vista di un simile accadimento, vi conviene tenere una seconda tazza a portata di mano per raccogliere il proiettile al volo, così non dovrete svuotare la vasca e ricominciare da capo. Se ce la fate prima che raggiunga l'acqua, sono dieci punti.

Vi accorgerete che si sta preparando al lancio quando inizierà improvvisamente a contorcersi, diventerà rosso e farà strane smorfie.

Dieci punti per voi
se lo beccate al volo.

Risciacquargli i capelli. Per evitare che gli vada lo shampoo negli occhi, distraetelo attaccandovi sulla fronte qualche giochino a ventosa – quando il bambino piegherà la testa all'indietro per ammirare quello spettacolo anomalo, risciacquate. Se la ventosa non fa presa, provate a tenere il giochino tra i denti, e intanto emettete qualche verso: dovreste ottenere lo stesso risultato.

Oppure appendete al soffitto, proprio in corrispondenza della vasca, una giostrina o un quadretto in plastica (che siano ben visibili): quando è il momento, invitate vostro figlio a guardare in su e risciacquate.

Un'altra idea: se il bimbo non è insofferente ai copricapo, potreste fargli indossare un'apposita visierina da bagno.

Per i marinai d'acqua dolce

Il seggiolino da bagno tiene il bimbo in posizione eretta.

Se invece preferite operare senza bagnarvi, vi servirà qualche supporto che tenga il bimbo dritto. In ogni caso: mai lasciarlo incustodito nella vasca.

Ecco alcune soluzioni per tenere il bimbo dritto in vasca:

Vasca gonfiabile. Vaschetta da collocare nella vasca da bagno. Gli sorregge la schiena, richiede meno acqua della vasca standard, fa sì che i suoi giochini da bagno rimangano a portata di mano.

Seggiolino da bagno. Si fissa sul fondo della vasca con delle ventose. Gli tiene la schiena diritta e contemporaneamente permette di lavarlo su tutto il corpo.

Cesto della biancheria. Potete usare un cesto della dimensione adatta, dopo aver messo un asciugamano sul fondo. Il cesto gli permette di appoggiare la schiena e, avendo una struttura a rete, lascia che l'acqua scorra liberamente dentro e fuori. I giochi restano a portata di mano e dopo aver svuotato la vasca potete raccoglierli e metterli nel cesto.

Giochi per il bagnetto

Il genitore creativo non va in negozio a comprare i giochi per il bagnetto. Tutti gli oggetti presenti in casa che galleggiano (o che affondano, non ha molta importanza) sono potenzialmente idonei. Qualche suggerimento:

Confezioni delle uova e vaschette per il ghiaccio per trasportare altri giochi.

Pompetta di gomma per le dimostrazioni di propulsione idrica.

Vecchie tovagliette di plastica, da ritagliare in forma di animali e attaccare sulle pareti della vasca.

Colino, colapasta, imbuto per farci passare l'acqua dentro.

Tazze di vario formato per versare l'acqua.

Un tubicino di gomma per fare le bolle nell'acqua.

Un pezzo di tubo in PVC da usare come "acquedotto".

Palline di gomma.

Mestoli, bottiglie di plastica, contenitori di salviettine umidificate.

Cartoni del latte tagliati verticalmente, per farne delle barchette.

IL PRIMO taglio di capelli

L'unico motivo valido per tagliare i capelli a un bimbo sotto i dodici mesi è la praticità. Se la frangia gli impedisce di vedere bene o ha il cosidetto taglio alla tedesca, con i capelli più lunghi dietro, occorre intervenire.

La mamma potrebbe suggerire un parrucchiere per bambini – di quelli che si fregiano di nomi d'eccezione come "Belli e monelli", "da Harry Potter – il mago delle forbici", "Ciuffetto d'oro" – ma se preferite risparmiare tempo e denaro, e scongiurare una probabile crisi di pianto, fate da soli.

Se avete paura di fargli un taglio orrendo, ricordatevi che indipendentemente dal disastro (ferite escluse), vostro figlio sarà sempre splendido.

Nuca

Mettete il bimbo sul seggiolone, di fronte alla tv. (Se preferite evitare la televisione, pregate la vostra partner di improvvisare uno spettacolino di burattini.) Mettetevi dietro di lui e – usando forbici a punta arrotondata – partite dal centro e tagliate in entrambe le direzioni. Fate un pezzettino alla volta, in modo da correggere facilmente eventuali errori.

Frangia

Quando vedono avvicinarsi le forbici, i neonati tendono ad agitare le braccia e a girare la testa (istinto eccellente, in una situazione normale). È consigliabile tagliare la frangia al bimbo quando è profondamente addormentato; meglio se nel passeggino o nell'ovetto, così da godere di una buona posizione. Ricordatevi di usare delle forbici a punta arrotondata, e di frapporre sempre la mano tra le forbici e la testa del bimbo (vedi immagine).

TAGLIO DELLE UNGHIE

È un'operazione che richiede una precisione chirurgica e che spesso spetta al papà. La vostra partner potrebbe infatti dirvi: "Se sai mettere l'esca sull'amo, figurati se non puoi tagliare un'unghia".

Se vostro figlio ha il sonno pesante, approfittate di quei momenti. Altrimenti, vi servirà un assistente che lo tenga fermo, oppure qualcosa di molto coinvolgente che lo distragga, magari il suo cartone animato preferito. Alcuni preferiscono farlo appena dopo il bagnetto, quando le unghie sono particolarmente ammorbidite.

Per tagliarle, potete usare sia le forbicine da neonato a punta tonda, sia le forbicine arrotondate per i peli del naso, che molti genitori trovano più comode da usare. Se esce una gocciolina di sangue, non preoccupatevi: può capitare, specie all'inizio. Per ridurre al minimo il rischio di prendere la pelle, tenetegli ben schiacciati i polpastrelli.

Quando introdurrete i cosiddetti cibi solidi, noterete quanto in realtà
abbiano ben poco di solido. Bene o male, infatti, hanno tutti la stessa
consistenza: poltiglia. Beh, verso i 10-12 mesi molti bambini si ribellano
alle pappine e cominciano a desiderare cibo da mangiare con le
mani. Il loro sguardo corre dalla sbobba nel piattino, con le sue mille
sfumature marroncine, all'hamburger con patatine nel vostro piatto.
Come biasimarli, se tentano di lanciarsi dal seggiolone in segno di
protesta?

Senza contare che i cibi in vendita al supermercato, destinati alla fascia 10-12 mesi, sono a dir poco sospetti. Ve lo mangereste voi un vasetto di brodaglia arancione chiamata "Pere e pollo"? E una gelatina nerastra etichettata come "Pasticcio di carne ai mirtilli"? E un tris come "Tacchino, riso e verdurine dell'orto" concentrato in un unico vasetto? Ma saranno legali questi prodotti?

È tempo che il cibo da magiare con le mani faccia la sua comparsa a pranzo. È facile da preparare e se ne trovano varietà infinite. E non dovrete più preoccuparvi se siete rimasti senza quegli strani vasetti. In più vostro figlio, oltre a godersi i nuovi cibi, si eserciterà con la "presa a pinza", ovvero ad afferrare le cose unendo il pollice e l'indice.

È possibile che un vasetto contenga tutti questi ingredienti?

Alcuni suggerimenti prima di dargli cibo da mangiare con le mani

Pezzettini piccoli. Quando glielo proponete, assicuratevi che i singoli bocconi non superino le dimensioni di una monetina. Pezzi più grandi possono comportare rischi di soffocamento.

Il cibo da mangiare con le mani gli dà modo di sviluppare la "presa a pinza".

Pazienza. Imparare i suoi gusti richiederà tempo. Lasciate che sperimenti sapori e consistenze di tutti i generi, e cercate di individuare le sue preferenze. Prima di apprezzare un certo alimento, potrebbe aver bisogno di assaggiarlo anche una decina di volte.

Mucchietti. Per proporgli cibo da magiare con le mani, un buon sistema è quello di tagliuzzarlo e formare tanti mucchietti diversi sul ripiano del seggiolone: se ogni mucchietto corrisponde a un unico alimento, per il bimbo sarà più facile scegliere quello che gli piace e scartare il resto.

I bimbi devono mangiare meno di quel che pensate. I bambini di questa età necessitano di una quantità giornaliera di cibo pari a: dalle 4 alle 8 cucchiaiate tra frutta e verdura; dalle 2 alle 4 cucchiaiate di alimenti proteici; 8 cucchiaiate tra riso, cereali, patate e pasta (o una fettina di pane). Naturalmente, il tutto integrato dal latte.

Il latte dopo i pasti. Più del 50% del suo apporto nutritivo proviene ancora dal latte (materno o artificiale). Per indurlo a mangiare più volentieri il cibo in questo modo, dategli il latte solo dopo che ha finito gli alimenti solidi.

Incuriositelo. Certi bimbi faticano ad adattarsi, e vorrebbero proseguire con gli omogeneizzati. Come sempre, se riuscite a catturare

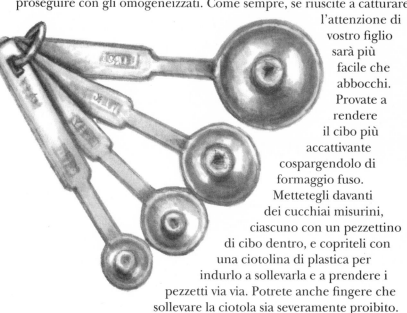

l'attenzione di vostro figlio sarà più facile che abbocchi. Provate a rendere il cibo più accattivante cospargendolo di formaggio fuso. Mettetegli davanti dei cucchiai misurini, ciascuno con un pezzettino di cibo dentro, e copriteli con una ciotolina di plastica per indurlo a sollevarla e a prendere i pezzetti via via. Potrete anche fingere che sollevare la ciotola sia severamente proibito.

La tazza salvagoccia

Avvicinandosi il momento di rottamare il biberon, la tazza salvagoccia è il passaggio intermedio ideale prima di arrivare alla tazza grande.

La tazza salvagoccia evita le fuoriuscite, così il piccolo demonio potrà tranquillamente scaraventarla giù dal seggiolone senza fare alcun danno. Qualche genitore inizia da adesso a dargli la tazza standard, ma la maggior parte del liquido finisce a terra invece che nella sua bocca.

Con un biberon e una cannuccia potete improvvisare una tazza salvagoccia. È vero che vostro figlio dovrà imparare un nuovo modo di bere, ma avendo il suo vecchio biberon si sentirà rassicurato e a suo agio.

1. Incidete una X (non troppo grande, altrimenti ci saranno delle fuoriuscite) al centro della tettarella.

2. Versate il liquido desiderato nel biberon.

3. Inserite la tettarella nel biberon, ma rovesciata.

4. Stringete la ghiera.

5. Infilate una cannuccia dentro alla X.

Una lista di cibi da mangiare con le mani per bebè (ottimi anche da lanciare)

Fiocchi di latte

Ricotta

Carote al vapore

Pollo

Pesche

Pane integrale tostato (*privo di semi e/o frutta secca*)

Focaccia

Cracker con formaggio spalmabile

Avocado

Banane

Tuorlo dell'uovo sodo (*prima che abbia compiuto un anno, evitare l'albume*)

Cereali

Pasta corta ben cotta

Yogurt

Pancake

Grissini

I pezzetti non devono essere più grandi di una monetina.

Patatine fritte

Gallette integrali

Cetriolini sott'aceto (*in pezzetti piccolissimi*)

Lasagne in bianco

Carne macinata

Tofu

Patate dolci

Undici alimenti da non dare mai a un neonato

È noto che questi alimenti possono scatenare reazioni allergiche, danneggiare l'organismo, provocare il soffocamento. Vanno evitati.

Miele

Latte di mucca

Albume

Agrumi (*sia succo che freschi*)

Burro di arachidi

Acini interi

Ogni varietà di semi e frutta secca

Mirtilli

Popcorn

Verdure crude

Hot dog

Inoltre, riducete al minimo gli alimenti con forte presenza di grassi saturi, sale, zuccheri aggiuntivi o contenenti dolcificanti artificiali.

BIMBI al ristorante

Quando vi capiterà di portare il bimbo al ristorante, non fatevi troppe illusioni: sarà difficile godersi la cena e conversare con gli altri e in molti saranno irritati dalla presenza del bimbo. E se invece il piccolo dovesse comportarsi come un angelo, rendete grazie al cielo e divorate tutto il più rapidamente possibile.

Tenetevi alla larga dai locali eleganti: se dovete spendere 40 euro per un antipasto grande come un'oliva, godetevelo senza figli. Se invece portate il teppistello in una semplice trattoria e gli altri clienti vi trafiggono con lo sguardo, beh, allora il problema è loro – non vostro.

Come si fa a capire quali sono i ristoranti adatti a un bambino e quali no? Date un'occhiata ai seguenti indizi rivelatori.

I bambini amano
le chitarre giganti

Locali adatti ai bambini

Pastelli

Seggioloni

Televisore

Servizio take-away

Vassoi di plastica

Luci al neon

Cartello "Divieto d'accesso a torso nudo e/o scalzi"

Camerieri con il nome sulla targhetta

Bottiglia di ketchup sul tavolo

Un signore travestito da roditore

Locali non adatti ai bambini

Tovaglia elegante

Candele

Macinapepe di legno

Camerieri con raccoglibriciole nel taschino

Tovaglioli piegati a origami

Acqua servita nei bicchieri da vino

Menu fisso

Più di due forchette per coperto

Inservienti presso la toilette

Qualsivoglia prelibatezza "glassata"

Vi segnaliamo alcune categorie di locali che hanno un'atmosfera più accogliente per le famiglie.

- I pub-ristorante frequentati dai tifosi sono perfetti, perché la confusione copre eventuali crisi di pianto, mentre i numerosi schermi tv possono ammaliare il bimbo.

- Molte trattorie in campagna sono allegre e chiassose e talvolta offrono anche uno spazio all'aperto.

- I ristoranti di pesce sfoggiano spesso un acquario ornamentale o una vasca per i crostacei destinati alla cucina, ottimi per catturare l'attenzione del bimbo.

- Sono perfetti i locali che offrono servizio a buffet o quelli specializzati nel brunch, perché hanno tempi di attesa cortissimi e vi danno la possibilità di far provare al bimbo un sacco di cibi diversi.

- I ristoranti cinesi vantano le "nuvolette di drago", molto apprezzate dai bimbi, così come i piatti a base di riso fritto. Per non parlare dei biscotti della fortuna che, ridotti in pezzettini e ammonticchiati davanti al piccolo, possono tenerlo occupato per un buon quarto d'ora.

Come uscirne indenni

- **Andateci presto.** Recatevi a cena il più presto possibile, soprattutto le primissime volte. Prima delle 20:00, i ristoranti sono quasi sempre vuoti e comunque gli eventuali clienti saranno spesso persone anziane, che apprezzeranno la compagnia.

- **Fatelo mangiare prima di uscire.** Se il piccolo sarà affamato, tollererà poco l'attesa. Meglio preparargli uno spuntino prima di uscire – oppure ordinare per telefono, così da trovare pronto quando arrivate.

- **Cercate un posto strategico.** Il posto migliore per sedersi è vicino a un'uscita, in modo da poter comodamente uscire se il piccolo inizia a piangere. Tenetevi a distanza dalla cucina, così non dovrete preoccuparvi dei camerieri che fanno su e giù con i piatti bollenti. Eventuali separé normalmente sono da evitare, perché il seggiolone ingombrerebbe troppo e bloccherebbe il passaggio. È consigliabile far sedere il bambino di fronte a una finestra o a un acquario, per fornirgli una distrazione mentre mangia.

- **Distraetelo.** Portatevi dietro un paio di giocattoli o qualche libro con cui possa intrattenersi durante il pasto. Se ve li siete dimenticati, ingegnatevi con quello che trovate.

  - Le bustine di zucchero possono fungere da sonaglio di fortuna (attenzione che non le mangi, però).

  - Qualche cubetto di ghiaccio in un bicchiere di plastica chiuso con un coperchio potrebbe distrarlo per sessioni sorprendentemente lunghe.

  - Un cucchiaio ben raffreddato funge da eccellente gingillo da mordicchiare.

- **Portatelo fuori.** Al primo accenno di lacrime, prendete il piccolo e portatelo fuori a fare un giretto. Il prossimo turno toccherà alla mamma, così riuscirete entrambi a mangiare qualcosa. Ordinate cibi che siano buoni anche tiepidi, freddi, o riscaldati un'ora dopo.

Se siete da soli con il piccolo, vi conviene optare per una pizza veloce o qualcosa da portare via.

- **No-fly zone.** Nel suo raggio d'azione non devono capitare altri piatti o bicchieri. Prima di mangiare, mettete un giocattolo sul tavolo per vedere fin dove arriva il bimbo allungando completamente il braccio. In quel semicerchio non dovrà entrare nulla, se non il suo cibo e i suoi giochi. Capita che i camerieri, per distrazione o per abitudine, piazzino piatti bollenti proprio di fronte al bambino: ricordate loro di rispettare la no-fly zone.

- **Non lesinate con le mance.** Se avete mai lavorato come cameriere, allora saprete quant'è disgustoso raccogliere il cibo mangiucchiato da terra. Quindi, prima di andare via, pulite voi quello che potete o lasciate al personale una mancia consistente per il compito ingrato. Ricordate anche un'altra cosa: vostro figlio ha usufruito di un coperto come tutti gli altri, dunque lasciate la stessa mancia che lascereste se si trattasse di un adulto. La prossima volta, i camerieri si ricorderanno della vostra generosità o della vostra tirchiaggine.

Alla scoperta del MONDO
(10-12 mesi)

Il vostro bimbo ha quasi un anno: è capace di sedersi e di ammirare il mondo che lo circonda. Adesso anela all'azione e all'avventura. Vi indichiamo alcune attrazioni adatte a questa fascia d'età:

Cantieri edili Camion che scaricano materiali, gru che sollevano travi, operai che gettano le fondamenta, fanno colare il cemento e lo livellano, posano i mattoni: lo spettacolo, i rumori, gli odori di un cantiere non hanno pari e vostro figlio si divertirà moltissimo.

Feste di compleanno Vi capiterà spesso di essere invitati a feste di compleanno di bambini più o meno coetanei del vostro. Cercate di andarci ogni volta che potete: è un'occasione piacevole per trascorrere un pomeriggio con il bambino. Ovviamente, il luogo sarà dei più sicuri, ci saranno spuntini e attività adatte ai bambini e vi potrete confrontare con altri genitori. Inoltre, osservare i figli altrui vi renderà orgogliosi del vostro.

Pizzeria Intrattenimento perfetto. Ordinate e poi ammirate il pizzaiolo che impasta, lancia la pizza in aria, la condisce e la inforna. Potrete inoltre far scoprire a vostro figlio la bontà della pizza.

Dare da mangiare alle anatre Dategli dei pezzettini di pane da gettare alle anatre. Non perdetelo mai di vista, perché i germani reali possono avere comportamenti aggressivi, e non è il caso che da grande riviva questa esperienza come un incubo hitchcockiano. Se dalle vostre parti non ci sono anatre, vanno benissimo anche gli scoiattoli o i piccioni.

Grandi magazzini I centri commerciali presentano due vantaggi: espongono un'infinità di articoli, tutti disposti su un unico piano, e di solito non prevedono molti addetti in ogni reparto. Il bimbo potrà iniziare gattonando nel reparto tappeti, poi dedicarsi a coperte e affini e infine, assalito dalla stanchezza, farsi un pisolino con voi sul sofà un po' appartato che avrete individuato per l'occasione.

SVILUPPARE le sue capacità (10-12 mesi)

Il carrello da corrida

Con questo gioco, il bimbo si eserciterà nella camminata, mentre il papà rinfrescherà le regole della corrida. Vostro figlio starà in piedi vicino alla parete, con il suo carrellino "primi passi". Voi vi sistemerete vicino alla parete opposta, sventolando un asciugamano o una coperta colorata. Iniziate a gridare "Toro, toro!"; quando il bimbo si avvicinerà a voi, fateglli passare il drappo sopra la testa e correte dall'altra parte della stanza. Vostro figlio comincerà a eccitarsi e a inseguirvi.

Serve a migliorare equilibrio, coordinazione e capacità di camminare.

Nota: il carrellino "primi passi" è perfetto per un bimbo di quest'età, ma assicuratevi che abbia una struttura robusta e pesante per evitare che, spingendolo, si rovesci in avanti.

Il papà-amaca

Stendete una coperta, un asciugamano o un lenzuolo, sul pavimento e posatevi al centro il bambino. Con una mano prendete i due angoli della coperta vicini alla testa e con l'altra i due angoli vicini ai piedi. Accertatevi di avere una presa salda e di non coprire la visuale al bimbo. Sollevate la coperta e cominciate a farla oscillare delicatamente avanti e indietro, facendo attenzione a non urtare i mobili.

Se vostro figlio vi sembra riluttante o perplesso davanti a questo gioco, offritegli prima una dimostrazione con un peluche, e poi chiedetegli se vuole provare anche lui.

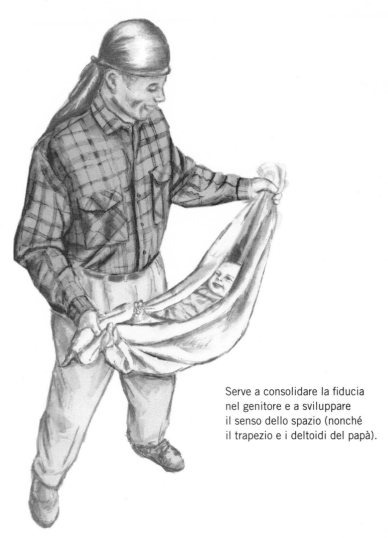

Serve a consolidare la fiducia
nel genitore e a sviluppare
il senso dello spazio (nonché
il trapezio e i deltoidi del papà).

185

Il cassetto FARLOCCO

I vostri apparecchi elettronici concorrono a fare di voi quel che siete. Cellulare, cercapersone, palmare e telecomando universale alla mano, vi sentite un tutt'uno con l'universo – sempre raggiungibili, sempre operativi, pronti a intraprendere qualsiasi avventura si presenti sul vostro cammino.

In qualche modo, il piccolo avverte il potere esercitato da questi oggetti e coglierà ogni occasione per impadronirsene e/o distruggerli.

Comprategli allora qualche bel facsimile multicolore in plastica, così lui potrà trastullarsi con i suoi gingilli e voi con i vostri. Peccato che dopo poco, lui perderà interesse per le versioni taroccate e tornerà a braccare gli originali.

È per questo che vi servirà un cassetto farlocco pieno di vecchi telefonini, cercapersone, palmari, telecomandi – per non parlare di portafogli, chiavi, carte di credito e calcolatrici. Il cassetto dovrà trovarsi a un'altezza comodamente raggiungibile dal bimbo e contenere solo oggetti non-funzionanti, ma autentici. Così, quando lo aprirà penserà di aver trovato il vero tesoro.

Fregatelo
con degli originali
non-funzionanti.

Ma il trucco funzionerà solo se anche voi starete al gioco. Ogni volta che il bimbo aprirà il cassetto, dovrete lanciargli un'occhiata severa e confermargli che sta proprio facendo una cosa proibita.

Potete preparare un cassetto farlocco più o meno in ogni stanza – a lui procurerà ore di divertimento, a voi un po' di agognato relax.

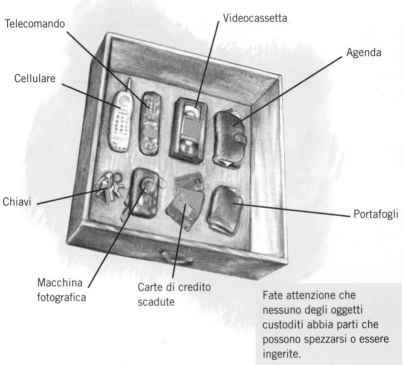

Telecomando

Videocassetta

Agenda

Cellulare

Chiavi

Portafogli

Macchina fotografica

Carte di credito scadute

Fate attenzione che nessuno degli oggetti custoditi abbia parti che possono spezzarsi o essere ingerite.

Allestire un cassetto farlocco

Cassetto farlocco da cucina
Pentole, padelle, piattini e tazze di plastica, erogatori di detersivo, cucchiai di legno, confezioni di uova.

Cassetto farlocco da bagno
Flaconi di shampoo esauriti (ben risciacquati), portasapone di plastica, scatole vuote di cerotti, specchio portatile infrangibile.

Cassetto farlocco da studio
Aprite la serratura di un cassetto dell'archivio e riempitelo di carta straccia e dépliant pubblicitari. A che serve un tritadocumenti se c'è in casa un bimbo piccolo? (Montate degli spessori di gomma sui bordi del cassetto, per evitare che ci si chiuda le dita dentro, e fate attenzione che il piccolo vandalo non mangi la carta.)

FABBRICARE un pannolino d'emergenza

Sono le quattro del mattino e il bambino sta piangendo. Qualcosa deve dargli fastidio, pensate, e l'ipotesi viene confermata dall'odore pungente che vi accoglie quando entrate in camera sua. Vi avvicinate al cassetto per prendere un pannolino pulito ma vi accorgete che non ce n'è più. Neanche uno, e non potrete ricomprarli fino al mattino successivo.

Non vi capiterà mai, dite? Sarà un miracolo se vi capiterà una volta sola.

Ma il papà preparato sa come improvvisare un pannolino d'emergenza. Non importa che sia ultra-assorbente, anatomico o bello esteticamente. L'importante è che vi permetta di superare la notte, così che all'alba potrete correre a comprare una confezione di pannolini veri.

Istruzioni

1

2

1. Stendete lo strofinaccio su un piano e appoggiatevi al centro il calzino, messo per lungo.

2. Ripiegate verso l'interno i lati superiore e inferiore dello strofinaccio, così da ottenere un quadrato; adagiate il bimbo sullo strofinaccio.

3. Ripiegate verso l'interno il lembo inferiore dello strofinaccio, in modo che passi tra le gambe del bimbo e arrivi fino all'ombelico.

4. Fermate gli angoli inferiori dello strofinaccio sotto la schiena del bimbo. Sovrapponete al tutto i due angoli superiori e fissate con del nastro adesivo, evitando che sia a contatto con la pelle del bimbo e che stringa troppo.

Vi serviranno:

1 strofinaccio pulito;

1 calzino di spugna pulito;

1 rotolo di nastro adesivo.

3

4

**Attenzione:
assicuratevi di aver
sempre sottomano un
paio di forbici. In caso
contrario, liberarlo dal
pannolino potrebbe
essere complicato.**

5. Se il cavallo del pannolino vi sembra troppo largo, usate altro nastro
   adesivo per stringere.

6. Per rendere impermeabile il pannolino (vivamente consigliabile),
   basta ricoprire il più possibile la superficie esterna con del nastro
   adesivo, stando sempre attenti a evitare il contatto con la pelle del
   neonato.

Tecniche avanzate per cambiare il PANNOLINO

Quando il bimbo cresce dovrete modificare le tecniche per cambiarlo.

Bimbo in piedi sul pavimento

A quest'età i bimbi amano stare in piedi e non sopportano di stare sdraiati per essere cambiati. Così si divincolano, cercando in ogni modo di sfuggire alla vostra presa, anche a costo di tuffarsi di testa dal fasciatoio. In questi frangenti, il genitore deciderà di cambiarlo in piedi, tecnica particolarmente indicata per pannolini rigonfi di pipì, ma generalmente adottabile – con le debite precauzioni – anche in caso di cacca.

Procedura:

1. Mettete qualche giocattolo su una sedia o sul divano. Se è una sedia, bloccatela in modo che il bimbo non possa scivolare durante l'operazione.

2. Cominciate a giocare rumorosamente con i suoi balocchi, in modo da attirarlo verso la sedia. Non trascinatelo, altrimenti capirebbe subito che avete in mente qualcosa.

3. Fatelo appoggiare alla sedia (o al divano) e tenetelo sempre con una mano nel caso perda l'equilibrio. Quindi apritegli rapidamente la zip e/o i bottoni. (Eventualmente infilate le gambe della tutina nel colletto in modo che non vi diano fastidio.)

4. Siate efficienti come un meccanico durante i pit stop, operando con la massima celerità: non potete sapere quando il bambino si stuferà e tenterà di sgattaiolare via e, soprattutto, non potete sapere se ha altre munizioni in canna, per cui vi conviene ridurre al massimo il lasso di tempo che resterà con le chiappe al vento.

Bimbo in piedi sulle vostre gambe

Questa soluzione è utile se non c'è spazio per farlo sdraiare: per esempio se vi trovate stipati su un autobus o un metrò o se siete allo stadio.

Restate seduti e mettete il bimbo in piedi sulle vostre gambe, con la faccia rivolta verso di voi. Vostro figlio potrà reggersi alle vostre spalle. La procedura è analoga alla precedente, ma siccome il bimbo guarda verso di voi, dovete trovare un sistema alternativo perché si distragga e non vi ostacoli mentre lo cambiate.

Se indossate un cappellino da baseball, potete trasformarvi in una giostra umana fissando alla visiera un cordino da ciuccio a cui avrete legato un pupazzetto.

Un sistema per distrarlo: trasformatevi in una giostra.

Evacuazioni da record

Ogni tanto il piccolo vi delizierà con un'esplosione di diarrea, che sommergerà rapidamente il pannolino e gli decorerà la schiena. Questo fenomeno è noto come cacca molle.

Se l'esplosione ha luogo in casa, pregate solo che non accada mentre è seduto sul divano. Se capita per strada, pregate di aver dietro salviettine sufficienti a limitare i danni (più di un papà ha dovuto immolare i propri calzini per la causa).

La soluzione migliore è fargli immediatamente il bagno. Se non è possibile, mettete il bimbo sul fasciatoio (o su un asciugamano, magari marrone...) e toglietegli velocemente gli indumenti sporchi, usando le parti pulite per cercare di togliergli più cacca possibile. Poi infilate gli indumenti in un sacchetto di plastica (ne dovreste sempre avere tre o quattro con voi) e cominciate a ripulirlo con delle salviettine, o una spugna bagnata, se riuscite a procurarvene una. Cominciate togliendo il grosso, poi passate alla pulizia di fino.

Fatelo RIDERE

Dato che i bimbi piccoli
hanno poco controllo
sul proprio ambiente, godono
follemente a distruggere
il vostro.

Proprio come la mamma è l'unica qualificata ad allattare al seno, voi sarete i fornitori ufficiali di divertimento e risate per il bebè. Non che la mamma non possa scatenare qualche sana risata, ma quando c'è da sintonizzarsi con un neonato, siete voi la persona giusta – probabilmente perché il vostro senso dell'umorismo è uguale al suo. Se vi è capitato di vedere qualche gag di Sbirulino, o Bugs Bunny o qualunque film di Mel Brooks, allora avete le carte in regola per preparare un fantastico numero comico per vostro figlio.

Solo sperimentando, potrete capire cosa lo fa divertire, e a volte lo scoprirete per puro caso: un vostro starnuto potrebbe scatenare una risata a crepapelle, una mela che rotola giù dal tavolo mandarlo in visibilio. Ma se siete a corto di idee, ecco alcune gag intramontabili, suddivise per categorie, che dovrebbero rapire la sua attenzione.

Papà fa il bebè

- Infilatevi in bocca uno dei suoi ciucci al contrario, cercate di succhiare e quindi risputatelo come in preda a una grande frustrazione.

- Mentre beve dal biberon, fingete di bere dall'altra estremità.

- Gattonate sul pavimento facendovi inseguire da vostra moglie.

Papà fa il cretino

- Cercate di infilarvi in testa i suoi pantaloni, o di mettere le sue scarpine al cane.

- Posatevi sulla testa un suo giocattolo e poi fingete di cercarlo. Quando cade per terra, assumete un'espressione stupefatta.

- Mostrategli varie figure di animali, ma sbagliate i versi corrispondenti: "Il gatto fa bau". A un certo punto, si accorgerà che lo state prendendo in giro.

Papà fa l'animale

- Ringhiando come un cane, sfilategli un calzino con i denti. Sfidatelo a togliervi il calzino di bocca.

- Fingete che un vostro dito sia un'ape ronzante e mentre la fate posare, prima sul vostro naso e poi sul suo, continuate a cacciarla via.

- Fingete che una delle vostre mani sia una chela di granchio. Toccate il suo viso e poi pinzatevi il naso, facendo finta di non saperevene liberare.

La rivincita di papà

- Fingete di addentare vostro figlio come se fosse una pannocchia gigante.

- Annusategli i piedi, fate una smorfia di disgusto e allontanateli dicendo "Bleah, che piedi puzzolenti!".

- Sollevate in alto il bimbo a palme aperte, come se teneste un bilanciere, e quando è vicino alla vostra bocca fategli un pernacchione sulla pancia.

Il bebè fa la bua a papà

- Fate una torre con le costruzioni, per poi scoppiare in un pianto a dirotto quando l'abbatterà.

- Sdraiatevi accanto a lui, chiudete gli occhi e attaccate a russare rumorosamente. Quando cercherà di svegliarvi, sollevate le palpebre, esclamate: "Allora?! Io starei cercando di riposare!" e richiudete gli occhi. Ripetete lo scherzo più volte.

- Allungate una mano verso di lui, con dentro qualche pezzettino di cibo. Quando lo prende, fate finta di non accorgervene. Poi guardatevi la mano vuota e dite: "Ehi, quella è la mia pappa!".

Papà fa la bua a papà

- Colpitevi in testa con una bottiglia vuota di plastica, esclamando "Doh!" come fa Homer Simpson.

- Inciampate su qualche giocattolo per terra, per poi cascare malamente sul divano.

- Puntatevi in faccia una pistola ad acqua, o uno "spruzzino", quindi guardate il grilletto e domandatevi: "Chissà a che serve?". Spruzzate e strillate.

Uno scherzo è tale quando ci si aspetta una cosa e ne accade un'altra. Normalmente i bimbi sotto i 7-8 mesi non capiscono gli scherzi, perché non si aspettano nulla. Accettano tutto sulla fiducia. Insomma, sono dei creduloni.

Lasciate che i vicini di posto condividano
con voi la responsabilità di intrattenerlo.

Stanchi di passare tutto il tempo inchiodati in casa con il piccolino? E
allora perché non trascorrere del tempo con lui in aereo? Se non altro,
per il puro piacere di vedere le facce terrorizzate degli altri passeggeri
mentre vi vedono salire a bordo e percorrere il corridoio nella loro
direzione, alla ricerca dei vostri posti. (Se avete voglia di divertirvi,
prima di accomodarvi, fatevi tutto il corridoio avanti e indietro più e
più volte.)

Durante il volo, il massimo che un genitore possa augurarsi è che il
bimbo rimanga silenzioso. Per tenerlo tranquillo, usate le seguenti
tecniche:

1. Scegliete il posto con cura

Al momento di prenotare, ricordatevi quanto segue:

- se voi e la vostra compagna non intendete acquistare un biglietto per il bimbo, vi conviene prenotare un posto finestrino e un posto corridoio nella stessa fila, lasciando libero quello in mezzo. I posti di mezzo si riempiono sempre per ultimi; e anche se quel posto fosse prenotato, probabilmente appena il passeggero vedrà il bimbo pregherà il personale di trovargliene un altro;

- se vi assicurate i posti tra l'economy e la business class, avrete più spazio per le gambe, il che è una benedizione, specie se vostro figlio deciderà di sparpagliare i giocattoli ovunque. Inoltre, dietro espressa richiesta, alcune compagnie mettono a disposizione anche una culla;

- in genere nei posti vicino alla toilette c'è più spazio per muoversi. In più, il flusso continuo di passeggeri diretti in bagno fornisce vari diversivi, come fare loro cucù (che apprezzino o meno) mentre entrano ed escono, o recarsi alla toilette con il bimbo perché possa guardarsi nello specchio, giocherellare con gli interruttori, azionare lo scarico e ammirare gli scrosci di acqua blu;

- nei posti vicini alle uscite di emergenza i genitori con figli non sono ammessi. Probabilmente perché dopo ore che il bimbo urla, qualcuno potrebbe tirare il maniglione di emergenza e buttarsi di sotto.

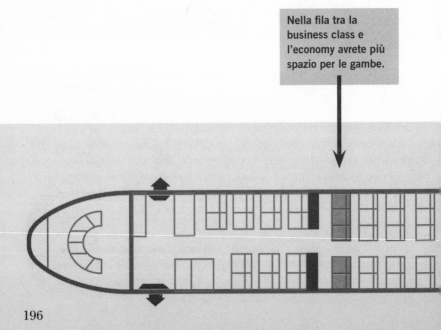

Nella fila tra la business class e l'economy avrete più spazio per le gambe.

2. Aumentate le probabilità che dorma

Alcuni accorgimenti per facilitargli il sonno durante il volo:

- fate coincidere il viaggio con l'orario del suo pisolino, oppure rassegnatevi a prendere il volo notturno;

- raggiungete l'aeroporto con largo anticipo, e fatelo sfinire per bene: non sarà difficile, visto che per un bimbo i grandi spazi, i tapis roulant e le sale d'attesa rivestite di moquette sono molto eccitanti;

- imbarcatevi per ultimi, anche se potreste essere i primi. Il papà (o la mamma) salirà con i bagagli, mentre il partner rimarrà nella sala d'attesa e proseguirà l'operazione sfiancamento;

- dategli un po' di Benadryl o di Tylenol per bambini – prima di somministrargli qualsiasi farmaco, però, consultate il pediatra.

3. Fatelo mangiare in fase di decollo e/o di atterraggio

Per bilanciare la pressione nelle orecchie, vi conviene attaccare il bimbo al biberon o al seno sia in fase di decollo che (soprattutto) di atterraggio. Se non ha fame, un ciuccio può assolvere alla stessa funzione. Se invece il piccolo rifiuta il ciuccio, può darsi che il fastidio dovuto al cambiamento di pressione provochi il pianto, che contribuisce comunque al bilanciamento della pressione.

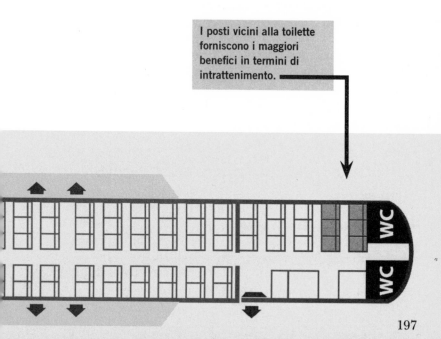

I posti vicini alla toilette forniscono i maggiori benefici in termini di intrattenimento.

Se avete bisogno di scaldare il biberon, potete chiedere a qualche hostess di versare dell'acqua calda in un sacchetto per il mal d'aria, per poi lasciarvi dentro il biberon qualche minuto.

Il sistema più comodo per nutrire un neonato su un aereo è il latte in polvere. Certi papà preparano la dose in anticipo, conservandola in un sacchettino di plastica – ma forse non è un'idea brillante, se intendete superare i controlli di sicurezza in tempo utile.

Se voi foste gli addetti alla sicurezza aeroportuale e vedeste un sacchettino del genere, cosa pensereste?

4. Il mal d'aria

Dato che la probabilità che soffra di mal d'aria è sempre elevata, ricordatevi di portarvi dietro un'abbondante scorta di ricambi per il bimbo. E magari infilatevi una cerata, così se vi vomita addosso non vi sporcherete i vestiti. Munitevi anche di sacchetti di plastica, salviette e scottex.

Cambiare un pannolino nel minuscolo bagnetto dell'aereo è un'impresa quasi impossibile, quindi dovrete arrangiarvi stendendo un telo o una coperta tra voi e la vostra compagna. Subito dopo, buttate il pannolino sporco in un sacchettino per il mal d'aria. Se il puzzo persiste, scusatevi con i vicini offrendo loro qualcosa da bere.

Prima dell'atterraggio, intascate tutti i sacchettini su cui riuscite a metter mano: saranno ottimi per raccogliere indumenti sporchi o bagnati, pannolini fetidi e altri residui di origine infantile.

5. Dispiegate l'artiglieria ludica a intervalli regolari

In qualche negozio di articoli usati, comprate dei giocattoli gonfiabili. Lavateli in lavastoviglie e metteteli in sacchettini di carta. Ogni volta che il piccolo darà segni di irrequietezza, gli allungherete un pacchettino nuovo da scartare. Calcolate un giocattolo per ogni mezz'ora di volo. Tra l'altro, una volta sgonfiati, questi giocattoli non occupano praticamente spazio. Potete procurarvi anche degli sticker adesivi attacca-stacca da appiccicare al finestrino.

Se avete esaurito la scorta di giocattoli, provate a realizzare un burattino usando un sacchettino per il mal d'aria, o fatelo giocare con l'interfono posto sul retro del sedile. Anche la carta d'imbarco può tenerlo impegnato per un po', visto che parecchi bambini adorano biglietti e affini.

6. Costringete gli altri a intrattenerlo

Tenendolo in braccio, sollevatelo in direzione dei passeggeri più vicini a voi, e vedete se qualcuno abbocca. Se resistete abbastanza in quella scomoda posizione, c'è sempre qualcuno che alza la testa dalla rivista di bordo e abbozza un sorriso. È quello il momento di dire al bimbo: "Mi sa che c'è qualcuno che vuol giocare con te". Mettiamola così: se vogliono che il bimbo non pianga, devono partecipare al suo intrattenimento.

7. Portate qualcosa per farlo stare comodo

Quasi tutte le compagnie permettono di caricare a bordo un piccolo passeggino o l'ovetto. Se il bimbo ha il suo posto riservato, durante il decollo e l'atterraggio fatelo sedere sull'ovetto; in alternativa andrà altrettanto bene il marsupio, che vi lascerà comunque le mani libere.

È importante avere sempre con sé il passeggino, soprattutto quando ci si trova incastrati in aeroporto perché la coincidenza è in ritardo di tre ore, o magari bloccati aspettando che i cani annusino il latte in polvere.

ALBERGHI, pensioni e motel

Per un bimbo tra i dieci e i dodici mesi, un corridoio d'albergo equivale alla piscina vuota per un amante dello skateboard: la palestra perfetta per affinare le proprie abilità. Le pareti sono lisce e regolari e i pavimenti ricoperti da uno spesso strato di moquette, eccellente per attutire le inevitabili cadute. Ogni escursione può concludersi con una sosta alla macchinetta del ghiaccio, richiamo fanciullesco storicamente irresistibile, per via della perfetta combinazione di elementi visivi, sonori, tattili e degustativi.

Inoltre, un soggiorno in albergo rappresenta un agognato cambiamento anche per il papà: vedere vostro figlio devastare per una volta la casa di qualcun altro vi scalderà il cuore. Ma prima di lasciarlo libero nel suo nuovo habitat, considerate due aspetti: il riposo e la sicurezza.

Soluzioni per la nanna in albergo

- **Lettino da viaggio.** Generalmente le strutture alberghiere forniscono lettini, ma il più delle volte si tratta di trabiccoli instabili e malconci, i cui materassi sono stati testimoni di ben troppe pipì. Per sicurezza, vi conviene portarvi dietro un lettino da viaggio. Prima di partire, fateci dormire il bimbo per due notti in modo che si abitui.

- **Diversivi da toilette.** Per voi, non per lui. Una volta che l'avrete messo a letto, potreste ritrovarvi bloccati nel bagno per un paio d'ore con vostra moglie, convinta che quello sia il momento giusto per discutere della vostra relazione. Per non correre rischi, portatevi lo Scarabeo, un mazzo di carte, una scacchiera... qualunque cosa possa tenervi impegnati.

- **Nascondetegli il vostro letto.** Se il piccolo si sveglia nel cuore della notte e vi scorge nel letto accanto al suo, potrebbe non riaddormentarsi più. Dovete occultare il vostro letto. Piazzate delle sedie tra i due letti, stendendo sugli schienali asciugamani o coperte per creare un separé.

- **Fate a turno.** Non è detto che dobbiate sempre restare in camera con il piccolo: fate dei turni. Mentre la mamma scenderà al bar e cercherà di evitare le avances dei partecipanti al convegno, voi potrete ascoltare la musica con l'i-pod, leggere la Bibbia trovata sul comodino, giocare con il palmare e guardare la tv a volume basso (sempre che il principino lo permetta). Dopo un'oretta, vi darete il cambio.

- **Ambiente funzionale al sonno.** Per tenere la camera al buio, prendete dall'armadio qualche gruccia con le pinze e usatele per tenere insieme i lembi delle tendine. Potete anche produrre del "rumore bianco": se è possibile, staccate il cavo dell'antenna e lasciate il televisore acceso, coprendo l'apparecchio con un asciugamano per eliminare la luminosità; oppure stendete sullo schermo una maglietta sottile per ottenere un piacevole effetto notturno.

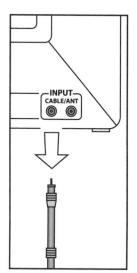

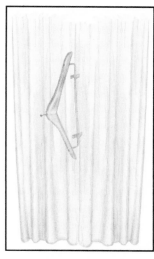

Queste due soluzioni permettono di eliminare sia la luce che il rumore.

A prova di bimbo (in quattro minuti)

Rendere una camera d'albergo a prova di bimbo non è certo così laborioso come mettere in sicurezza una casa. Inoltre la permanenza sarà breve e non eseguirete grandi interventi. Alcuni hotel forniscono dei kit di sicurezza per neonato, ma il più delle volte dovrete pensarci voi. Questo vi richiederà meno di cinque minuti. Vi basteranno del nastro isolante (più rapido da rimuovere del nastro adesivo) e degli scovolini per la pipa.

Potrebbe presumere che il minibar sia destinato alle minipersone.

- Prima di lasciarlo scorrazzare per la stanza, ispezionate il pavimento e rimuovete eventuali oggetti pericolosi, come graffette o monetine. Sistemate fuori dalla sua portata il bollitore dell'acqua, il phon e il ferro da stiro.

- Usando il nastro isolante, coprite le prese elettriche, bloccate i cassetti e lo sportello del minibar. Per evitare che il bimbo sbatta la testa contro gli spigoli dei mobili, prendete dei calzini, ripiegateli a metà e con il nastro isolante fissateli sopra gli spigoli situati all'altezza della sua testa o più in basso.

- Sempre con il nastro isolante, tracciate una grossa X su eventuali vetrate scorrevoli che danno sul terrazzo, per fargli capire che la strada non è sgombra; accertatevi anche che tali porte siano sempre chiuse. Usate gli scovolini per tenere unite le cordicelle di tende e persiane e raccogliere insieme più fili elettrici. Avvolgete gli scovolini intorno a pomelli e maniglie dell'armadio per bloccare le ante.

- È consigliabile tenere la porta del bagno sempre chiusa, così da impedirgli del tutto l'accesso. Se vostro figlio sa già aprire una porta, avvolgete uno dei vostri calzini intorno al pomello: avrà il suo daffare per fare presa a sufficienza e aprire.

Applicate sugli spigoli un calzino ripiegato come cuscinetto di protezione.

Ricordatevi di essere generosi con le mance. Un bimbo piccolo può devastare una stanza d'albergo peggio di una band heavy metal.

Come tenere a bada il CORRIDORE

A un anno, alcuni bambini camminano. Altri corrono. Avanzano imperterriti nei saloni affollati, sulle scale mobili, negli incroci trafficati, procedendo come Shackleton verso il Grande Ignoto.

Come padre, ammirerete la determinazione di vostro figlio. Ma per riportarlo a casa sano e salvo, dovrete saperlo tenere a freno. Il modo migliore per trattenere un bimbo che tende ad allontanarsi senza permesso è vestirlo con indumenti che offrono molti appigli. Ad esempio:

- felpe con cappuccio;

- salopette;

- bretelle;

- pantaloni con passanti.

Se vi trovate in una potenziale situazione di pericolo, non farete altro che trattenerlo per il cappuccio, immobilizzandolo. Siate sempre molto delicati quando tirate il cappuccio. Passato il pericolo, lasciatelo pure libero di andare a esplorare un altro angolo del centro commerciale.

Potete usare il cappuccio come "guinzaglio" di fortuna.

In campeggio con il PICCOLO

L'arrivo di un figlio non è una buona scusa per abbandonare tenda e sacco a pelo. Anzi, fare campeggio con un bimbo può essere un'esperienza entusiasmante per tutta la famiglia. A voi il brivido di iniziarlo ai prodigi della natura; a lui l'opportunità di mettere in bocca molte più schifezze di quelle disponibili a casa.

Dovrete portarvi dietro un sacco di roba, soprattutto se intendete fare campeggio libero nel bosco. Uno di voi dovrà trasportare il bimbo, il partner tutto il resto. Uno porterà il bimbo nell'apposito zaino, l'altro arrancherà nella selva con tutta l'attrezzatura in spalla. Vi sentirete come una coppia di guide sherpa assoldate dal piccolo esploratore per la spedizione.

Montare l'accampamento

- Per accamparvi, scegliete un luogo a una certa distanza da altri escursionisti. In questo modo, se vostro figlio dovesse iniziare a strillare alle tre del mattino, eviterete di svegliare gli altri campeggiatori. E loro non potranno svegliare voi.

- Mentre preparate l'accampamento, vi servirà un posto dove mettere il bimbo. Se montate subito la tenda, potrete usarla come area gioco, ma forse è meglio un lettino portatile, che gli permetta di stare in piedi e ammirare gli orizzonti sconfinati.

- Allestita la base, infilategli un paio di calzoni lunghi e lasciatelo esplorare i dintorni seguendolo da vicino. Evitate solo che si metta in bocca delle piante, che infili le mani in qualche tana di serpente o che si diriga verso i resti di qualche fuoco. Lasciatelo libero di sporcarsi: anzi, uno strato di sudicio potrebbe essere addirittura utile e fungere da schermo protettivo contro sole e insetti.

- Con bambini di età superiore ai sei mesi, si possono usare creme di protezione solare e repellenti anti-insetti, stando sempre attenti a non applicarli sulle mani e vicino agli occhi. Inoltre, siccome capita di entrare in contatto con zecche, zanzare e diverse specie di piante tossiche (per non parlare del sole cocente), la miglior protezione per il piccolo esploratore sarà costituita da pantaloni lunghi, maglia a maniche lunghe e cappello a tesa larga.

Dormire all'aperto

- Alcuni papà preferiscono condividere il sacco a pelo con il figlio, ma se volete riuscire a dormire, vi converrà pensare ad altre soluzioni. Se avete il lettino pieghevole, non dovrete preoccuparvi che il piccolo rotoli su e giù per la tenda.

- Mentre dormite, tenete sottomano una torcia, nel caso il bimbo scoppi a piangere nel cuore della notte: non essendo abituato all'oscurità assoluta e ai rumori del bosco, è facile che si innervosisca.

- Per aiutarlo ad ambientarsi, due o tre giorni prima di partire, potete simulare il campeggio a casa montando la tenda in giardino.

- Tenete presente che una tenda a due posti non è assolutamente sufficiente per due adulti e un bambino: scegliete un modello almeno a tre posti.

- Se fa freddo, infilate il piccolo nel sacco nanna.

Portatevi dietro una piscinetta gonfiabile. Da sgonfia occupa uno spazio minimo, e ha un'infinità di funzioni, per esempio:

- piscina;

- vasca da bagno;

- spazio gioco;

- postazione per il cambio pannolini;

- si può riempire facilmente di sabbia per giocare.

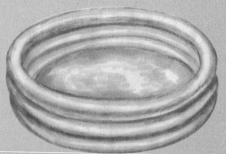

Qualunque cosa stia facendo,
non lasciatelo mai incustodito nella piscinetta.

Smaltimento rifiuti

È severamente vietato abbandonare rifiuti nei boschi. Usate dei sacchetti di plastica doppi e portateli via, ma che fare con i pannolini sporchi di cacca?

La soluzione migliore è quella di infilare il pannolino sporco in un sacchettino di plastica, per poi unirlo al resto della spazzatura in un grande sacchetto a doppio strato. Il grosso delle feci può essere seppellito: scavate una buca profonda circa quindici centimetri, ad almeno 30 metri dal corso d'acqua più vicino.

30 m dall'acqua

15 cm di profondità

ESCURSIONI

Zaino portabambino

Prima di comprare lo zaino, provatelo. Recatevi in un negozio con vostro figlio, sistematelo nello zaino, chiudete l'imbracatura e simulate una piccola passeggiata nel punto vendita. Se dopo cinque minuti state scomodi, certo la situazione non migliorerà dopo un'escursione di tre ore nel bosco.

Ecco che caratteristiche deve avere uno zaino portabambino:

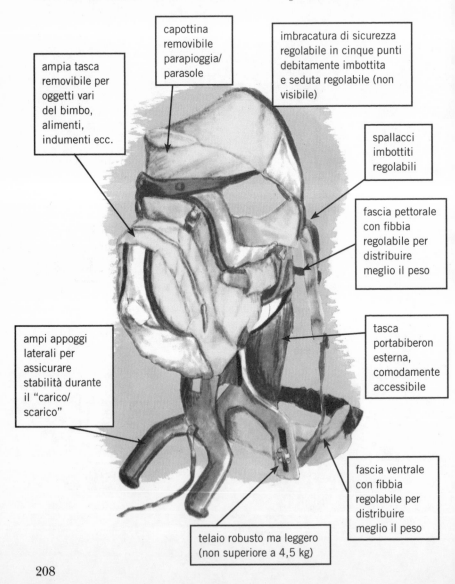

capottina removibile parapioggia/parasole

imbracatura di sicurezza regolabile in cinque punti debitamente imbottita e seduta regolabile (non visibile)

ampia tasca removibile per oggetti vari del bimbo, alimenti, indumenti ecc.

spallacci imbottiti regolabili

fascia pettorale con fibbia regolabile per distribuire meglio il peso

ampi appoggi laterali per assicurare stabilità durante il "carico/scarico"

tasca portabiberon esterna, comodamente accessibile

fascia ventrale con fibbia regolabile per distribuire meglio il peso

telaio robusto ma leggero (non superiore a 4,5 kg)

Sette regole per intraprendere un'escursione

1. Non partite mai da soli con vostro figlio. Se doveste procurarvi una distorsione alla caviglia, avreste bisogno di un altro adulto.

2. Se siete abituati a trasportare uno zaino da 25 chili e vostro figlio ne pesa 10, non portatevi dietro più di 10 chili di attrezzatura. Non si può paragonare il peso dell'attrezzatura con quella di un bimbo che, muovendosi continuamente, rischia di farvi perdere l'equilibrio se non state attenti.

3. Ricordatevi che voi vi muoverete, mentre lui starà fermo nello zaino, quindi dovrete vestirlo più pesante di voi.

4. Nello zaino, vostro figlio è nella posizione perfetta per rigurgitarvi sulla maglietta e sulla schiena. Poiché i sobbalzi potrebbero indurlo a vomitare, evitate di incamminarvi subito dopo un pasto abbondante.

5. Se fa caldo, fategli bere molta acqua per evitare che si disidrati. Per rinfrescarlo, usate uno spruzzino pieno di acqua tiepida, comodo anche se il bimbo è alle vostre spalle. Se lo zaino ha una capottina parasole, usatela; altrimenti, proteggete il bambino con un cappellino.

6. Se progettate di stare fuori più di un'ora, portatevi una coperta. Ogni tanto, potete fermarvi, tirarlo fuori dallo zaino, metterlo sulla coperta e farlo sgranchire un po'.

7. Per quanto possiate considerarvi esperti, restate sui sentieri battuti e seguite rigorosamente la segnaletica. Avere un bimbo in spalla basta e avanza.

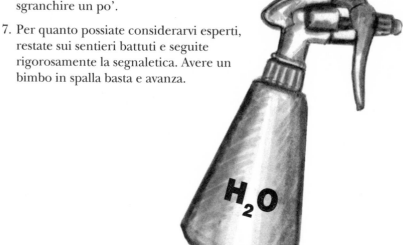

H_2O

La prima FESTA DI COMPLEANNO

Vostro figlio non ricorderà mai la sua prima festa di compleanno, un evento che probabilmente non riuscirà neanche a godersi. E allora perché affrontare un simile sbattimento? Fareste prima a stampare l'immagine di una qualsiasi festa riprodotta su www.beprepared.net, posizionare una foto del suo faccino nello spazio apposito, scansionare il tutto e inviarlo ai nonni che tanto non noteranno mai la differenza!

Ma se proprio ci tenete a festeggiare:

* cercate di fare una cosa semplice. La felicità del piccolo è inversamente proporzionale al numero di persone che invitate;

* evitate di organizzare la festa nell'orario del suo sonnellino, confidando che l'adrenalina lo terrà sveglio: crollerà per la stanchezza, dormendo magari per tutta la festa;

* non reclutate un animatore in maschera per festeggiare un bimbo di un anno. Quando vostro figlio guarda i Teletubbies alla tv, vede delle figurine alte una ventina di centimetri. È quella l'altezza che si aspetta, non un pupazzone di un metro e ottanta che entrando

nella stanza potrebbe scatenare il panico, manco fosse Godzilla. Se avete soldi da spendere, pensate agli adulti. Per quanto amino vostro figlio, sono venuti per fare contenti voi: fate capire loro quanto apprezzate la loro presenza. Ecco alcuni stratagemmi per farli tornare anche al prossimo compleanno.

Regali

Se non volete riempirvi la casa con altri giocattoli, pregate tutti gli invitati di portare dei bei pacchettini finti, pieni di carta straccia. Per vostro figlio sarà divertente scartare i pacchetti e i vostri amici non dovranno sbattersi.

Orario

Se volete che gli ospiti arrivino e si trattengano, non fate coincidere l'orario con qualche importante evento sportivo – a meno che non intendiate lasciare la tv accesa e improvvisare una festa a tema sportivo. Per vostro figlio non farà differenza. Eventualmente, attaccategli sulla tutina lo stemma della vostra squadra del cuore.

Intrattenimenti

La soglia d'attenzione di un bimbo di un anno esclude praticamente tutti i giochi che si fanno alle feste, ma se desiderate qualcosa che coinvolga gli adulti, potreste organizzare delle baby-olimpiadi. Sfidate le altre coppie papà-figlio in duelli tipo:

Quale bimbo riuscirà a spalmarsi più glassa in faccia in un minuto?

Quale bimbo riuscirà a tenere in testa il capellino da party più a lungo, prima di dar sfogo alla protesta?

Quale bimbo raggiungerà per primo a gattoni la montagna di regali in fondo al soggiorno?

Quale papà riuscirà a far ridere per primo suo figlio?

Cibarie

Ovviamente la torta non può mancare, ma spesso una sarà più che sufficiente. Offrite invece ai vostri ospiti vino e birra. Prima che tutti si congedino, stringete a voi la mamma e il bimbo, fate cin cin contro la sua tazza e brindate al compimento del suo primo anno di età.

La vita comincia a 1 anno

Il PANDA del Nuovo Anno

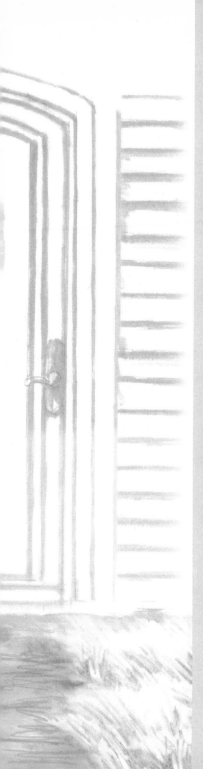

CONGRATULAZIONI!

Siete giunti al compimento del suo primo anno di età (almeno in teoria). Questo risultato vi dà diritto a un premio: non si tratta di soldi, ma di un inestimabile segreto, fino a ora patrimonio esclusivo di qualcuno tra i padri più illuminati del paese. Un segreto che non solo vi consentirà di risparmiare migliaia di euro, ma che diventerà anche un rito familiare da attendere con impazienza, una tradizione che si tramanderà di generazione in generazione. Stiamo parlando del Panda del Nuovo Anno.

Il Panda del Nuovo Anno fu ideato da un padre geniale. Amareggiato perché i saldi e le svendite invernali avvenivano solo dopo Natale, egli meditò su come sfruttare quelle occasioni per la felicità dei suoi figli. Così nacque l'idea del Panda del Nuovo Anno.

L'anno successivo, a dicembre, il papà in questione annunciò ai figli che i bambini che non hanno ricevuto i doni da Babbo Natale, ricevono la visita di un grande panda batuffoloso che esaudisce tutti i loro desideri. Perché essere certi che il panda si sentisse il benvenuto e non saltasse la loro casa, i bimbi dovevano appendere dei bastoncini di liquirizia fuori dalla porta.

Oggi vostro figlio sarà troppo piccolo per cogliere il significato del Panda del Nuovo Anno, ma non è mai troppo presto per istituire una tradizione. Se cominciate ora, quando andrà all'asilo nido il panda sarà già un pilastro delle vostre tradizioni familiari.

213

CONCLUSIONI

È già trascorso un anno e non ve ne siete quasi accorti? Sembra impossibile ricordarsi di quando quel bimbo paffutello era un minuscolo neonato nelle vostre braccia. Non più di un anno fa, tenevate in collo un fagottino in carne e ossa che si contorceva, mentre ora avete davanti un bambino dotato della sua personalità, capace di comunicare, camminare e farvi ridere con le sue stramberie.

E in questi dodici mesi non è cresciuto solo lui, ma anche voi. Ricordate come eravate terrorizzati i primi giorni dopo la sua nascita? Beh, guardatevi ora: dei veterani pronti a tutto. Confidiamo che tramanderete ad altri le conoscenze appena acquisite. Quando vedrete un papà novizio in preda al panico, non limitatevi a sogghignare da lontano. Fate quanto potete per dargli un mano e offritegli i vostri migliori consigli. Se poi vi trovate vicino a una libreria, potete anche fare un gran gesto regalandogli una copia di *Preparati!*

Congratulazioni per l'ottimo lavoro svolto fino a qui. Speriamo di tutto cuore che questo sia stato l'anno migliore della vostra vita (e sappiamo per certo che è stato l'anno migliore nella vita di vostro figlio). Dopo quello che avete passato, vi meritereste proprio una bella pausa. Peccato che non sarà così, perché la paternità è un impegno a tempo indeterminato. Perciò, vedete di procurarvi un vasino e preparatevi al secondo anno!

RINGRAZIAMENTI

Prima di tutto, un ringraziamento speciale al nostro editore e amico
Rob Weisbach, che si è adoperato per questo progetto ancora prima
che venisse approvato ed è stato per noi fonte incessante di ispirazione
e suggerimenti. Un grazie di cuore anche a tutti gli altri collaboratori
della Simon & Schuster, altrettanto validi e premurosi, soprattutto
a Bridie Clark, Linda Dingler, Jackie Seow, Aileen Boyle, Alexis Welby,
Terra Chalberg, Jim Thiel, Laura Wise, Irene Kheradi, Emily Remes
e John del Gaizo. Grazie anche al nostro agente, amico ed esperto
di neonati, Todd Shuster, nonché a tutto lo staff della ZSH Literary
Agency.

Vorremmo inoltre ringraziare i nostri genitori, Neil e Marlene
Greenberg, George e Mary Hayden, per averci messo al mondo ed
essersi presi cura di noi, e per avere reso la casa sicura quando eravamo
bambini: senza il vostro amore e il vostro sostegno, questo lavoro non
sarebbe mai stato possibile.

Ringraziamo anche il team di Be Prepared Research and Development,
diretto da Meg Donaldson e composto da Jeremy Kareken, Mike Royce,
Jon Bines, Kevin Johnson, Herb Emanuelson, Faye Hess e Jeff Boyd.

La nostra più profonda gratitudine va alle nostre pediatre di famiglia,
la dott.ssa F.A.A.P. Jessica Orbe e la dott.ssa F.A.A.P. Sarah Baum, che si
sono accertate che tutti i contenuti del libro fossero a prova di bebè.

Un grazie a tutti i papà che si sono fatti intervistare, osservare e/o
fotografare mentre erano all'opera. Tra questi: Pete Tuneski, Jonathan
Stirling, Matt Ahern, John Lewis, Dave Brause, Jon Mysel, Mike
Astrachan, Neal Lieberman, Lenny Levy, John Mertens, Paul Flynn,
Dave Goldman, Steve Heller, Pablo Martinez, Bob Goetz, Sam Joseph,
Andrew Kennedy, Don Hamrahi, Wayne Catan, Howie Allen, Leland
Brandt, Joe Badalamente, Jeff Felmus, Todd Hansen, Mike Litsky, Dan
Varricchione, Sean Martin Hingston, Rick Winters, David Caminear,
Johnny Lampert, John Diresta, Dave Hirsch, Madison Rogers, Tim
Mangan, Andrew Tsiouris, Roland Paradis, Mike Rozen, Garrison
Schwartz, Ken Friedson, Charles Bonerbo.

E un riconoscimento speciale va anche ad Annabelle Boyd, Marcy
Greenberg, Leigh Hayden, Prescott Tuneski, Jeffrey Shaw, Roy e Beth
Markham e il loro Panda del Nuovo Anno, Eva Hulme, Holley e Russ
Flagg, Lenny e Barbara Grodin, Lucinda Knox, Jodi L. Iannantuono,
Elliot e Judy Brause, Lisa Brause, William Stephenson, Ellie e Don
Jacobs, Evie Barkin, Joe Clancy, Evan Shweky, Steve Gibbs, Steve
Brykman, Raegan McCain, Jon Jacobs, Ellen Lenson, Oona Stern,

Monique e Sergio Savarese, Joan Schultz, Adele Phillips, Brian Stern, Chris Mazzilli e il Gotham Comedy Club, Peter Shapiro, Amelia Webster, Derek Lugo, Jude Gallagher, Frank Bozzo, Eva Hulme, Susan e John Javens, Carol Danilowicz, Petra Dielewicz, Rob Carson, Beth e Johnny Garcia e il Manhattan Kids Club, Ilana Ruskay-Kidd e il Manhattan JCC, Suzanne Reiss, Daryle Connors, Stacey Fredericks, Kiki Schaeffer, Matt Strauss, il Sol Goldman YMCA, Schneider's Baby Store, Felina Rakowski-Gallagher e l'Upper Breast Side, Mike Abt e Abt Electronics, Derrick Neville e Circuit City, Manny Pagan, Ben Kim, Alexandra Jacobs, Jessica Nooney, Corlette James e tutti gli amici della Small World Preschool, John Rodadero, John e Patty Wrajec, Lillie Rosenthal, le famiglie Blodgett, Dexter e Lamourine, Dawn Hutchins, Jeanne DeMerit, Carla Alcabes, Michelle Larrier, Jordan Rubin, Eva Dorsey e Jane's Exchange, Catherine Cetrangolo, Jeffrey Benoit, Alec Lawson, Suzanne Ball, Yvonne Suzuki Licopoli, Jim Mangan, Peg McCormick.

Rivolgiamo infine il nostro più sentito ringraziamento a nostra figlia, Madeline Greenberg, per essere stata paziente nei nove mesi in cui l'abbiamo trascurata per scrivere questo libro. Scimmietta, niente avrebbe potuto prepararci alla gioia che ci hai regalato.

INDICE

GARY GREENBERG è autore del bestseller *The Pop-Up Book of Phobias* (Rob Weisbach Books), del pluriacclamato *The Pop-Up Book of Nightmares* (St. Martin's Press) ed è coautore di *Self-Helpless* (Career Press). È anche attore e sceneggiatore, è comparso su Comedy Central e Bravo e ha collaborato con diverse trasmissioni radiofoniche. Ha scritto alcuni spettacoli e quiz a premi per Comedy Central e ha firmato articoli per *The New York Times* e *Psychology Today*. Vive a Manhattan con la moglie (sua collaboratrice), Jeannie Hayden, e la loro figlia, Madeline. Per saperne di più su Gary Greenberg, visitate il sito www.garygreenberg. com.

JEANNIE HAYDEN è una pluripremiata illustratrice e graphic designer che ha collaborato con Nickelodeon, Dialogica, il Museo Americano di Storia Naturale, *Psychology Today*, *Village Voice*, L'Oréal e Liz Claiborne, solo per citarne alcuni. Ha inoltre illustrato il saggio bestseller *Alternative Medicine* (Future Medicine Publishing) e *Self-Helpless* (Career Press). Per saperne di più su Jeannie Hayden, visitate il sito www. jeanniehayden.com.